C'est du gâteau !

For Buffy.
all my Best !
Sincerely
Christophe

ISBN : 978-2-259-20630-3

Christophe Michalak

Photographies de Laurent Fau

Conception graphique de
Audrey Charissoux

C'est du gâteau !

PLON

A mes nièces chéries si rock'n roll, **Gabrielle** et **Iris**

Sommaire

Mes macarons 107

Préparation
du biscuit à macarons 108

Mes sucettes 121

Préparation
de la guimauve 122

Mes bonnes
adresses 134

Remerciements 137

L'équipe formidable du Plaza Athénée
grâce à laquelle je peux donner
le meilleur de moi-même et sans laquelle
ce livre n'aurait pas pu se faire

Christophe...
Le toqué des gourmands

Rien dans son enfance ne prédisposait Christophe Michalak à devenir le meilleur pâtissier du monde à trente et un ans. Il était le roi des raviolis en boîte et rêvait de devenir Superman. Mais le futur héros avait une faiblesse : son cœur flambait pour les flans. Douceurs, miel et caramel, saveurs acidulées, à quinze ans sa voie était tracée, mais tracée vers l'excellence afin d'en extraire le meilleur de ses souvenirs pur sucre. Il fait ses classes chez Fauchon et Ladurée, et devient en 2000 la plus grande toque gourmande du Plaza Athénée, le palace des stars de l'avenue Montaigne à Paris. Ses pâtisseries délices sont fashion, simples et drôles.
Ses créations truculentes : bûche sac à main, religieuses bimbo, profiteroles aphrodisiaques. C'est beau, c'est bon, c'est parfait. Il fait exploser les codes comme les saveurs, s'amuse et nous régale. Ce bourreau de travail réclamé aux quatre coins de la planète a gardé l'énergie bienfaitrice de Superman. Jeune, beau, talentueux, sacré star du gâteau, Christophe Michalak est un sucré numéro qui nous rappelle les filles à la vanille et les garçons en chocolat.

Je dédie
ce livre au club des gourmands

QUI COMME MOI ONT PRIS UN ABONNEMENT À VIE.
AVOIR LE SUCRE DANS LE SANG N'EST PAS FORCÉMENT UNE MALADIE

Je vous ouvre mon c♥ffre à recettes. Celui-ci est un peu particulier, c'est un coffre à réminiscences. Saveurs et odeurs de l'enfance et son lot acidulé de bonbons achetés à la sortie de l'école. Pâtissier, j'ai voulu les retrouver, les sublimer, leur rendre hommage. Qui veut quitter les douceurs de miel de son enfance ? J'ai jeté mes culottes courtes aux orties, mais jamais je n'ai oublié le goût des fraises Tagada et du Malabar, même s'ils ne sont pas les seuls à avoir bercé mes rêves d'autrefois. Vous l'aurez compris, inconditionnel de goûts sucrés, j'ai choisi d'être chef pâtissier pour côtoyer un Bacchus improbable qui n'a pas, hélas ! sa place dans l'Olympe. Mon métier me permet de marier chaque jour des produits différents, d'actualiser ou de réinterpréter des classiques, dans une quête permanente du dessert parfait. Pâte à choux, tartelette, mousse au chocolat, milk-shake, sucette, macaron, cake… autant de basiques que je vous propose de réaliser en vous apportant mon savoir-faire. Vous découvrirez toutes mes astuces à partir d'une technique de base déclinée en cinq saveurs innovantes, expliquée étape par étape. Au total quarante-cinq recettes extrasavoureuses, originales, et faciles à mettre en œuvre.

Avant tout, un gâteau doit être élégant, coloré, et posséder des formes galbées pour mettre en appétit. Car on le dévore des yeux avant qu'il satisfasse notre palais, même si le vrai talent du chef est de le rendre unique par son goût, sa texture et son odeur. Si vous fondez devant un gâteau, c'est qu'il est fondant, sa crème suave, son parfum enivrant. Une pâtisserie, c'est un cœur moelleux, un toucher de velours, des couleurs et des fragrances d'épices chaudes qui chavirent les sens.

Ce livre est à la fois une plongée dans les bonheurs et les fantaisies de l'enfance, et la découverte d'un univers très «haute couture». Avant de l'entamer, deux ingrédients sont nécessaires à sa prise en main : la gourmandise et la générosité. La langue du pâtissier n'est pas complexe. Surtout, ne soyez pas impatient : il faut laisser monter la pâte du désir pour accéder au plaisir.

A présent, le Chef… c'est vous !

Christophe Michalak

Accessoires indispensables
pour réussir
vos pâtisseries

cuillère parisienne

découpoirs
rond et triangulaire

vaporisateur

La pâtisserie est une science exacte. Il suffit de suivre au quart de poil une recette pour traduire l'excellence que vous recherchez. Elle exige peu de temps mais de la disponibilité, des accessoires fiables dont il est difficile de se passer et dont le plus important reste… la balance.

cornet

thermomètre
professionnel

blender
mixeur

maryse

moules
de différentes formes

petit chalumeau

Silpat
toile anti-adhérente

Je ne saurais que trop vous encourager à **TOUT peser, même les liquides** ou des produits coulants comme les œufs. Réussir ses gâteaux demande plus de précision que de savoir-faire. C'est un plaisir minutieux. A ce prix, vous constaterez que la perfection est facile.

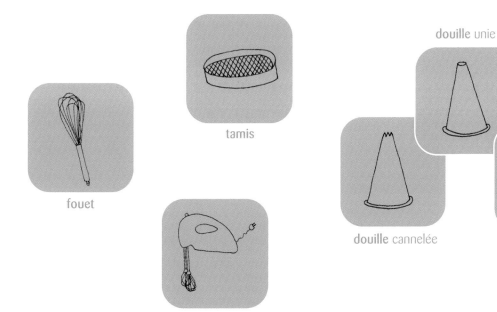

fouet

tamis

batteur électrique

douille unie

douille cannelée

poche

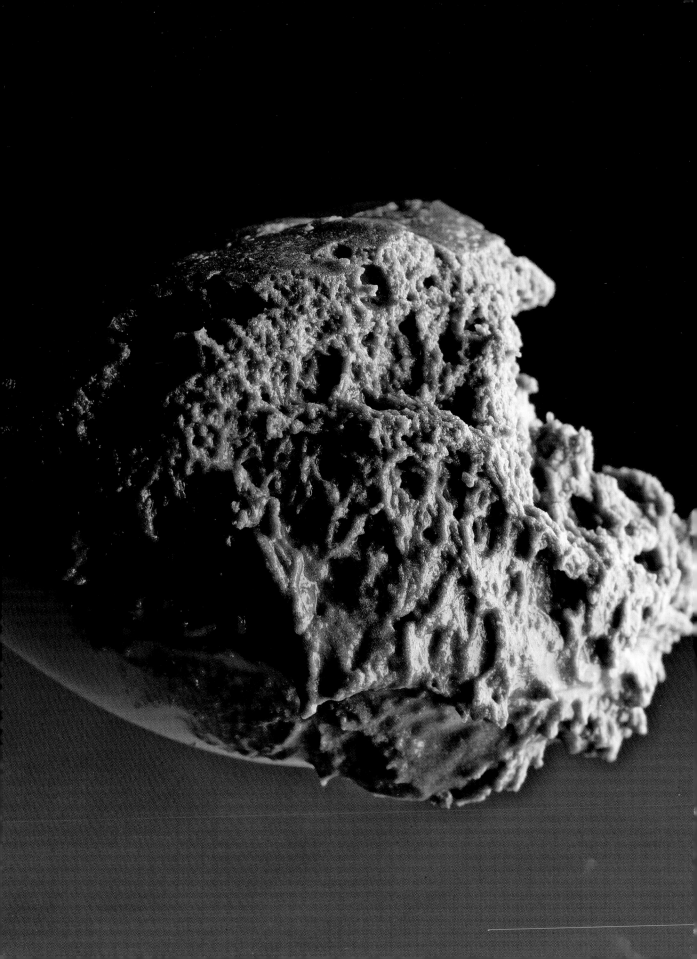

mes Mousses au chocolat

Difficile de rivaliser d'imagination dans l'élaboration de la mousse au chocolat ! C'est un peu la madeleine de chacun... Des recettes transmises de génération en génération, conservées jalousement ou partagées généreusement. Car, nous le savons, la mousse au chocolat est le dessert préféré des Français, elle emporte l'adhésion, même des moins gourmands.

Légère, mousseuse, onctueuse, la mousse au chocolat appelle à l'abandon, au lâcher-prise, à la rêverie, à la béatitude postrepas.

On la déguste comme un moment de *paresse méritée*, un avant-goût de sieste dans laquelle on glisse avec douceur.

Simplissime comme toujours, je vais vous apprendre à la *réinventer*. Mon secret ? Mixer deux chocolats : noir pour l'amertume, au lait pour la douceur. Puis habillez-la de différents parfums... sachez la convoiter, la préparer, la désirer... et déshabillez-la d'une bouchée !

Préparation

Mousse
au chocolat

POUR 8 COUPES

 Préparation **45 mn** - Repos **2 h**

- **25 cl** (250 g) de lait demi-écrémé
- **200 g** de chocolat noir (cacao 70 %)
- **50 g** de chocolat au lait (cacao 40 %)
- **2 jaunes d'œufs** (40 g)
- **30 g** de beurre
- **20 cl** (200 g/ 35 % MG) de crème liquide

1 • Faire bouillir le lait dans une casserole.

2 • Verser le lait bouilli en 3 fois sur les 2 chocolats hachés.

3 • Remuer au fouet.

4 • Votre émulsion est prête lorsqu'elle a un aspect lisse et brillant à une température d'environ 45 °C.

5 • Ajouter les jaunes d'œufs.

◎ Il est important de couler votre mousse au chocolat semi-liquide dans les coupes. Pour obtenir une texture très mousseuse et onctueuse, veillez à bien respecter les températures.

Attention ! Plus votre mélange final sera froid plus la mousse sera compacte et lourde.

Pour cette recette, j'utilise la puissance du chocolat amer noir (70 % cacao) que je mélange avec la douceur du chocolat au lait (40 % cacao).

Cette technique vous donnera une mousse forte en chocolat avec une douceur lactée en fin de bouche… Très appréciée des enfants !

6 • Ajouter le beure en petits cubes et mixer.

7 • Ajouter la crème montée délicatement. Elle doit rester souple. Finir le mélange à la maryse.

8 • Pour que votre mousse reste semi-liquide, sa température finale doit s'élever à environ 30 °C.

9 • Dresser la mousse dans un contenant de votre choix : coupe, fruit…

10 • Stocker la préparation minimum 2 heures à 4 °C dans le réfrigérateur.

11 • Vérifier à l'aide d'une cuillère la texture aérienne de votre mousse. 13 °C est la température parfaite pour la savourer.

Mousse au chocolat
A l'italienne

RECETTE POUR 8 CORNETS

Préparation **30 mn**

Votre marché

750g de préparation
de mousse au chocolat
(p. 18-19)
30cl (300g/35%
MG) de crème liquide
200g (35% MG)
de crème épaisse
1 gousse de vanille
de Tahiti
8 cornets
125g de framboises
fraîches
100g de perles
chocolatées
Colorant rouge

PAS À PAS

Garnir les cornets à mi-hauteur avec la mousse au chocolat, poser 3 framboises par cornet puis lisser à ras.

Préparation de la crème acidulée à la vanille

• Mélanger dans un récipient la crème liquide et épaisse, le sucre et la vanille.

• Monter au fouet jusqu'à obtenir une consistance ferme.

• Diviser votre préparation en 2 bols, et ajouter le colorant rouge dans l'un des deux jusqu'à obtenir la couleur désirée.

• Dresser la crème vanille dans une poche, puis la seconde crème rouge dans une autre.

• Insérer les deux dans une autre plus grande poche surmontée d'une douille cannelée.

FINITION

• Dresser les crèmes dans les cornets au-dessus de votre mousse au chocolat, dans le sens des aiguilles d'une montre, à la façon des glaces italiennes ; un marbrage se réalisera naturellement.

• Parsemer vos cornets de perles chocolatées.

ASTUCE

• Posez vos cornets dans de grands verres, afin de les garnir plus facilement.

Petit clin d'œil aux fameuses glaces
italiennes Cornetto turbinées minute…
la seule différence avec ma version,
c'est qu'elles ne fondent pas !

Mousse au chocolat
Choco-caramel

RECETTE POUR 8 COUPES

Préparation **60 mn**
Repos **2 h**

Votre marché

*750g de préparation
de mousse au chocolat
(p. 18-19)
80g de sucre semoule
30cl (300g/35%
MG)
de crème liquide
1 feuille de gélatine
(soit 2g)
½ gousse de vanille
de Tahiti
½ pincée de sel
150g de céréales
de votre choix
200g de gianduja
lait-noisettes*

PAS À PAS

Préparation du caramel semi-liquide

• Mélanger le sucre avec 2 cl d'eau et cuire jusqu'à 180 °C.

• Faire bouillir la crème avec la vanille grattée, et la verser en 3 fois sur le caramel.

• Porter votre mélange à ébullition pendant 2 mn.

• Ajouter la feuille de gélatine préalablement ramollie dans l'eau.

• Mixer.

• Verser dans les coupes en les inclinant légèrement.

• Réserver 1 heure au congélateur.

FINITION

• Lorsque le caramel est froid, couler votre préparation de mousse au chocolat aux 3/4 de la coupe et réserver 1 heure au réfrigérateur.

• A la dernière minute, faire fondre le gianduja et le mélanger aux céréales bien craquantes. Versez-le à l'aide d'une cuillère sur la mousse au chocolat.

• Déguster à température ambiante.

ASTUCE

• Il est important de se munir d'un thermomètre professionnel pour éviter de trop cuire votre caramel. N'hésitez pas à vous servir d'une grande casserole. Et attention aux projections lorsque vous ajoutez votre crème, versez-la doucement, en trois fois.

recette

J'ai voulu
associer à cette
mousse très aérienne
un caramel onctueux, souvenir
délicieux des barres chocolat
caramel Milky Way de mon enfance.

Mousse au chocolat
Chocolada

RECETTE POUR 8 COUPES

Préparation **45 mn**
Repos **2 h**

Votre marché

*750g de préparation
de mousse au chocolat
(p. 18-19)
50g de sucre semoule
2 ananas Victoria
1 gousse de vanille
de Tahiti
5g de Maïzena
2cl (20g) de rhum
brun
40cl (400g) de lait
de coco
2 citrons verts
8 pailles*

PAS À PAS

• Verser le lait de coco – 50 g
par coupe – et dresser
une paille dans chacune.
Surgeler 1 heure.

• Couler votre préparation
de mousse au chocolat
et réserver 1 heure
au réfrigérateur.

Préparation de la marmelade ananas-rhum-vanille

• Détacher la peau des ananas.
Enlever le cœur.

• Couper en petits cubes
vos fruits.

• Les mélanger dans
une casserole avec le sucre
et la vanille.

• Cuire à feu doux jusqu'à
ce que les cubes d'ananas
deviennent translucides.

• Mélanger le rhum et
la Maïzena, puis verser sur
la marmelade et porter
à ébullition 10 secondes.

• Stocker en boîte hermétique
au réfrigérateur pendant 1 heure
minimum.

• Au dernier moment verser
la marmelade sur la mousse
au chocolat et parsemer
de zestes de citron vert.

ASTUCES

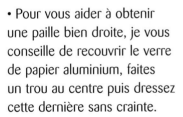

• Pour vous aider à obtenir
une paille bien droite, je vous
conseille de recouvrir le verre
de papier aluminium, faites
un trou au centre puis dressez
cette dernière sans crainte.

• Pour une meilleure
dégustation, je vous invite
à boire d'abord le lait de coco,
la mousse descendra
naturellement au fond du verre,
et vous pourrez ainsi déguster
le reste de la Chocolada
à la petite cuillère.

Cette recette s'inspire des délicieuses Pinacoladas savourées lors de mes vacances au Costa Rica. L'idée de la paille vient de mes intrépides amis, Didier et Nathalie Mathray, propriétaire de la pâtisserie «Pain de sucre» à Paris.

Mousse au chocolat
Choco-crunchy

RECETTE POUR 8 COUPES

Préparation **60 mn**
Repos **60 mn**

Votre marché

*750g de préparation
de mousse au chocolat
(p. 18-19)
4 sachets de Kit
Kat Ball
1 sachet de Mikados
chocolat noir
250g de chocolat noir
(pour les éventails
au chocolat)*

PAS À PAS

• Déposer au fond d'une coupe
3 Kit Kat Ball.

• Verser la mousse au 3/4
de la coupe.

• Réserver 1 heure
au réfrigérateur.

• Sortir la mousse et rajouter
3 Kit Kat Ball sur le dessus
de chaque coupe.

• Planter harmonieusement
3 Mikados par coupe
pour compléter votre décor.

**Préparation des éventails
en chocolat pour la décoration**

• Faire fondre le chocolat
à 45 °C.

• Le verser sur une plaque
moyenne en inox préalablement
chauffée à four doux, 45 °C
(th.1), puis le lisser finement
à l'aide d'une spatule.

• Réserver une nuit
au réfrigérateur. Puis sortir
la plaque une bonne heure
à température ambiante.

• Lorsque le chocolat est
devenu souple, réaliser vos
éventails. A l'aide d'un triangle,
pincer le bord du chocolat
avec votre index et le pousser
d'un coup sec. Un éventail va se
former naturellement.

ASTUCE

• Avec la même technique
que les éventails, vous pouvez
réaliser de jolis copeaux ou
éventuellement des cigarettes
en chocolat. Saupoudrez
de cacao poudre ou de sucre
neige décor, et stockez-les
au réfrigérateur.

Création originale de mon ami Christophe Niel, président de l'Association des pâtissiers de la Côte d'Azur, qui l'a initiée pour ses enfants.

Mousse au chocolat
Givrée choc-orange

RECETTE POUR 8 ORANGES GIVRÉES

Préparation **60 mn**
Repos **2 h**

Votre marché
750g de préparation
de mousse au chocolat
(p. 18-19)
18 oranges moyennes
320g de sucre semoule
5g de pectine
de confiture
2 blancs d'œufs (60g)

PAS À PAS

Préparation pour marmelade d'orange

• Réserver 8 (475 g) oranges entières avec la peau pendant une nuit dans de l'eau froide afin d'en enlever l'amertume.

• Les piquer avec une fourchette puis changer l'eau et les faire bouillir jusqu'à ce qu'elles soient tendres.

• Vous obtiendrez ainsi des oranges pochées.

• Les couper en rondelles, ajouter 150 g de sucre, le jus de 2 oranges et cuire à petit feu.

• Arrivé à ébullition, laisser bouillir encore 5 mn.

• Mélanger 50 g de sucre avec la pectine, ajouter à votre marmelade et porter de nouveau à ébullition.

• Mixer et passer au tamis.

• Réserver votre marmelade au réfrigérateur pendant deux heures.

Préparation de la meringue suisse

• Dans un bol en inox, mélanger 120 g de sucre avec vos 2 blancs d'œufs.

• Mettre de l'eau à mi-hauteur dans une casserole. Faire bouillir et poser votre bol en inox pour faire cuire au bain-marie jusqu'à 45 °C, puis monter votre meringue bien ferme au fouet électrique.

FINITION

• Pour préparer votre orange givrée, la couper aux 3/4 de sa hauteur. Retirer toute la pulpe à l'aide d'une cuillère. Garder le chapeau.

• Mélanger délicatement votre meringue à vos 500 g de mousse au chocolat réservée à température ambiante.

• Dresser un peu de marmelade au fond de chaque orange vidée, puis verser la mousse chocolat.

• Surgeler au minimum 1 heure puis fermer avec le chapeau.

• Sortir 10 mn avant la dégustation.

ASTUCE ❄

• Vous pouvez la congeler et utiliser cette recette avec des pamplemousses ou des mandarines.

Il fut un temps où je ne pouvais pas me passer d'oranges givrées! Cette recette combine une marmelade très peu sucrée avec une mousse au chocolat enrichie d'une meringue suisse. Essayez-la, vous n'y résisterez pas non plus!

Mes Cakes

Sucré, salé, acidulé, aux fruits, sec ou fourré, le cake est le *B.A.-BA* de la pâtisserie et la crème des gâteaux. Classique, moderne, baroque, anthropomorphique, c'est une bonne pâte qui se laisse mouler à votre main, votre imagination et vos talents pâtissiers. Rond, en forme d'ours ou de cœur, il n'est que *fantaisie*. Facile à réussir sous toutes ses formes et pas compliqué à aimer, c'est aussi l'ami des malins qui se mettent à l'heure du thé. Car le cake est *distingué* : il ne tache jamais.

Préparation
Pâte à cake

POUR 8 PERSONNES

 Préparation **30 mn** - Repos **60 mn** - Cuisson **15 mn**

- **3** petits œufs (115 g)
- **150 g** de sucre semoule
- **8 cl** (80 g/35 % MG) de crème épaisse
- **115 g** de farine
- **2 g** de levure chimique
- **25 g** de beurre demi-sel
- **2,5 cl** (25 g) d'huile de pépins de raisin

1 • Monter au fouet les œufs et le sucre jusqu'à ce que le mélange blanchisse.

2 • Ajouter la crème.

3 • Ajouter la farine et la levure tamisée.

4 • Verser le beurre fondu tiède.

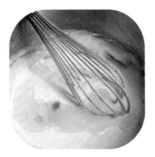

5 • Rajouter l'huile et vos ingrédients aromatiques selon les recettes suivantes.

◎ Tamisez bien vos poudres et émulsionnez longtemps le mélange sucre et œufs.

Plus votre cake sera émulsionné plus la texture sera légère.

Attention ! Si vous cuisez à four trop chaud, le cake sera plus coloré mais pas assez cuit. A l'inverse une température trop basse rendra le cake trop sec !

J'utilise de l'huile pour assouplir la texture de mon cake.

6 • Dresser votre pâte dans un moule chemisé de papier aluminium.

7 • Laisser reposer minimum 1 heure avant la cuisson.

8 • Préchauffer votre four à 160 °C (th.5) et enfourner vos pâtes à cake.

9 • Vos cakes seront cuits lorsque vous les aurez incisés avec une lame de couteau et que celle-ci ressortira sèche.

10 • Les imbiber légèrement avec un sirop léger fait avec 20 cl (200 g) d'eau + 80 g de sucre + 2 cl d'alcool de votre choix pour utilisation immédiate.

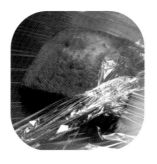

11 • On peut aussi les filmer tièdes et les congeler.

Cake
Bob citron

RECETTE POUR 8 PETITS GOURMANDS

Préparation **30 mn**
Cuisson **15 mn**

Votre marché

500g de pâte à cake crue
(p. 32-33)
2 citrons
Colorant jaune
200g de pâte d'amandes
1 sachet de Mikados

PAS À PAS

• Mélanger la pâte à cake avec les zestes et le jus des citrons pressés.

• Ajouter quelques gouttes de colorant jaune.

• Couler votre préparation sur une épaisseur de 1,5 cm, dans un moule carré de 16 cm de côté.

CUISSON ET FINITION

• Cuire à 160 °C (th. 5) environ 15 mn.

• Laisser refroidir sur grille, puis démouler et couper votre cake en 4 portions égales.

• Enlever la croûte du cake à l'aide d'un couteau scie.

• Pour donner de l'expression à votre gâteau, offrez-lui des yeux et des dents en pâte d'amandes ; faites le nez avec les chutes de la pâte, et réalisez les sourcils avec des tiges de Mikados.

ASTUCES

• N'importe quel moule, pourvu qu'il soit carré, rectangulaire fera l'affaire. Ne vous inquiétez pas s'il est trop grand ou trop petit, il suffira de couper des carrés égaux de 8 cm de côté.

• Vous pouvez filmer délicatement chaque biscuit et le stocker au congélateur.

Mon cake Bob
citron s'inspire d'un personnage célèbre :
une éponge, prénommée Bob, jaune aux grands
yeux bleus. Il est très naïf et quelque peu idiot.
Il travaille au *Crabe croustillant* en tant que
cuisinier où il prépare des… pâtés de crabes !
Si vous n'avez pas tout suivi, demandez
à vos enfants, ils en raffolent.

Cake
Cœur des bois

RECETTE POUR 4 CAKES EN FORME DE BOÎTE DE CAMEMBERT

Préparation **30 mn**
Cuisson **15 mn**

Votre marché

*500g de pâte à cake
crue (p. 32-33)
4cl (40g) de kirsch
150g de gelée
de groseilles
1/2 gousse de vanille
250g de fruits rouges
mélangés
50g de pistaches
de Sicile
4 boîtes de camembert
vides*

PAS À PAS

• Mélanger la pâte à cake, le kirsch et la vanille.

• Chemiser chaque boîte de camembert avec du papier aluminium légèrement huilé.

• Verser 125 g de pâte à cake dans chaque moule et parsemer de quelques framboises fraîches, puis mettre au four.

• Cuire votre préparation 15 mn à 160 °C (th. 5).

• Lorsque les cakes sont froids, les napper avec une fine couche de gelée de groseilles puis ajouter les fruits rouges, napper une seconde fois avec de la gelée de groseilles tiède. Rajouter quelques pistaches. N'attendez pas pour déguster !

On cuit souvent des brioches dans des barquettes en bois, je trouvais amusant de recycler les boîtes du fromage préféré de mon enfance !

Cake Toasté

RECETTE DE 2 CAKES POUR 8 PERSONNES

Préparation **60 mn**

Votre marché

500g de pâte à cake crue
(p. 32-33)
15g de cacao en poudre
tamisé
200g de sucre semoule
1 orange
5cl (50g) de Grand
Marnier
2 boîtes de conserve vides
de 10cm de haut
et 6,5 de diamètre

PAS À PAS

• Mélanger 150 g de pâte à cake crue
avec le cacao.

• Mélanger 350 g de pâte à cake crue
avec le zeste et le jus d'1 orange.

• Mélanger délicatement les deux pâtes, chocolat
et orange, pour obtenir un joli marbrage.

CUISSON ET FINITION

• Cuire votre préparation environ 15 mn
à 160 °C (th. 5), dans 2 boîtes de conserve
débarrassées de leur couvercle et chemisées
avec du papier sulfurisé.

• Lorsque vos cakes sont tièdes, retirez-les
des moules et immergez-les pendant quelques
secondes dans un sirop léger fait avec 50 cl
(500 g) d'eau, 200 g de sucre et 5 cl (50 g)
de Grand Marnier.

ASTUCE

• Chemisez une boîte de conserve avec un
papier cuisson, ôtez simplement le disque du
dessus et gardez la base, cela évitera que votre
cake fuie !

◎ Depuis
longtemps,
je voulais réaliser
un cake dont
les tranches,
ressembleraient
à des toasts, idée
aboutie grâce
à un de mes excellents
sous-chefs… Jean-Marie Hiblot.

Cake
Musclé pamplemousse

RECETTE POUR 8 PETITS COSTAUDS

Préparation **60 mn**
Repos **2 h**
Cuisson **10 mn**

Votre marché

500g de pâte
à cake crue
(p. 32-33)
5 pamplemousses roses
200g de sucre semoule
5g de pectine
de confiture
250g de chocolat noir
(cacao 70%)
1 sachet de Mikados

PAS À PAS

Préparation de la marmelade de pamplemousse

• Réserver 4 pamplemousses (375 g) entiers avec la peau pendant une nuit dans de l'eau froide afin d'en enlever l'amertume.

• Les piquer avec une fourchette puis changer l'eau et les faire bouillir jusqu'à ce qu'ils soient tendres.

• Vous obtiendrez ainsi des pamplemousses pochés.

• Les couper en rondelles, ajouter 150 g de sucre, le jus d'1 pamplemousse et cuire à petit feu. Arrivé à ébullition, laisser bouillir encore 5 mn.

• Mélanger 50 g de sucre avec la pectine, ajouter à votre marmelade et porter de nouveau à ébullition. Mixer et passer au tamis.

• Réserver votre marmelade au réfrigérateur pendant 2 heures.

CUISSON ET FINITION

• Dresser la pâte à cake dans un moule de 20 x 20 cm, chemisé d'un papier cuisson.

• Cuire environ 10 mn à 160 °C (th. 5).

• Lorsque le cake est froid, retirer la croûte et le recouvrir d'une fine couche de marmelade de pamplemousse.

• Pour réaliser vos haltères, prendre un emporte-pièce de 3 cm de diamètre et détailler 16 ronds que vous superposez 2 par 2.

• Réserver au réfrigérateur pendant la réalisation de votre décor en chocolat.

Réalisation de la couverture de chocolat noir

• Emincer finement le chocolat et le réserver dans un bac en plastique.

• Le chauffer au micro-ondes à puissance maximum pendant 10 secondes. Le sortir, puis remuer énergiquement et le remettre au micro-ondes pendant 10 secondes. Renouveler cette opération jusqu'à ce que votre préparation atteigne 30-31 °C.

• Quand votre préparation est prête, étaler une fine couche de chocolat sur une feuille en plastique.

• Lorsque le chocolat commence à figer, étaler une seconde couche puis rayez-le à l'aide d'un peigne. Laissez figer de nouveau puis détaillez des disques de 3 cm de diamètre qui serviront de décor aux haltères, et utiliser une barre de Mikados pour les réunir. Soulevez, mangez, c'est gagné.

Amateurs de ce gâteau façon Pim's, voici une version dédiée aux sportifs. 1 haltère = 100 calories, soit 10 pompes et abdos. Vous en reprendrez bien un morceau?!

Cake
Burger cake

RECETTE DE 2 BURGERS POUR 8 PERSONNES

Préparation **60 mn**
Repos **2 h**
Cuisson **15 mn**

Votre marché

500g de pâte à cake
(p. 32-33)
40g de graines
de sésame
40g de beurre
500g de pulpe d'abricot
60g de sucre semoule
5 feuilles (soit 10g)
de gélatine
500g de gianduja
lait-noisettes
50g d'amandes hachées
et grillées
350g de préparation
de mousse au chocolat
(p. 18-19)

PAS À PAS

• Beurrer légèrement 4 moules en inox de forme demi-sphérique de 12 cm de diamètre.

• Parsemer de graines de sésame.

• Verser 125 g de pâte à cake crue par moule.

• Cuire environ 10 mn à 160 °C (th. 5).

• Verser votre mousse au chocolat dans un moule de 12 cm de diamètre et 1 cm d'épaisseur.

• Surgeler 2 heures puis démouler.

• Faire fondre le gianduja à 40 °C, ajouter les amandes puis en enrober délicatement la mousse au chocolat.

• Réserver au réfrigérateur jusqu'au moment de la dégustation.

Préparation de la gelée d'abricots

• Chauffer la pulpe d'abricots au micro-ondes ou dans une casserole à 60 °C.

• Ajouter le sucre et la gélatine préalablement ramollie dans l'eau.

• Verser la gelée dans un moule en silicone sur une hauteur de 4 mm et laisser figer au congélateur 1 heure.

• Découper dans votre gelée des carrés de 8 cm de côté.

FINITION

• Démouler vos cakes et les couper en 2.

• Poser sur le cake 1 carré de gelée d'abricot.

• Ajouter la mousse au chocolat et un second carré de gelée d'abricot.

• Refermer avec le chapeau du cake.

• Votre burger cake est prêt !

ASTUCE

• Posez vos moules sur une plaque ronde de 6 cm de diamètre pour mieux stabiliser et cuire votre burger cake.

Les enfants
en ont rêvé, leur maman l'ont
fait : un Mac sucré ! Je dédie cette recette
à Lucien Gauthier, jeune et talentueux pâtissier
de mon équipe qui m'a tout d'abord donné l'idée
d'un macaron cheese burger qui, petit à petit, s'est transformé
en burger cake. Je trouve le résultat épatant… surtout en texture.

Mes Milk-shakes

Lait, crème anglaise, fruits de saison, le milk-shake est un *cocktail mousseux* et parfumé que je vous propose de réaliser en une minute. Dessert ou goûter, il se boit velouté, doux et saturé en goût, comme une friandise. Je vous propose d'améliorer l'ordinaire du milk-shake vanille, fraise, framboise, et de découvrir à travers cette source crémeuse et *gourmande* d'autres façons de régaler vos papilles. Laissez-vous fondre pour mes recettes où j'ai mélangé les genres, les saveurs et les parfums, performant le coulant et l'onctueux de chaque dessert.
Petite innovation pour que chaque milk-shake ait plus de *moelleux* et de finesse : je les prépare avec une base de crème anglaise.
Prêts pour une milk-shake party !

Préparation
Crème anglaise
pour milk-shake

POUR 20 COUPES

 Préparation **30 mn** - Repos **1 nuit**

- **50 cl** (500 g) de lait
- **50 cl** (500 g/35 MG) de crème liquide
- **2** gousses de vanille de Tahiti
- **150 g** de sucre
- **12** jaunes d'œufs (240 g)

1 • Faire bouillir le lait, la crème et les gousses de vanille. Réserver.

2 • Bien mélanger le sucre et les jaunes d'œufs avec un fouet.

3 • Verser le lait et la crème bouillie sur le mélange sucre et jaunes d'œufs.

4 • Cuire l'ensemble dans une casserole en remuant à l'aide d'une spatule (85 °C).

5 • Refroidir la crème anglaise dans un récipient glacé.

6 • Verser la crème
anglaise dans des bacs
à glaçons et laisser
1 nuit au congélateur.

7 • Démouler
votre crème anglaise
surgelée.

8 • Prévoir 250 g
de préparation
par milk-shake.

9 • Mettre dans
un blender la crème
anglaise et les
ingrédients selon
la recette que vous
aurez choisie dans
les pages suivantes.

10 • Mixer à la puissance
maximale pendant
minimum 1 mn.

11 • Verser dans
les coupes.

Milk-shake Fraises des bois-bubble-gum

RECETTE POUR 4 MILK-SHAKES

Préparation **30 mn**

Votre marché

250g de crème anglaise
surgelée (p. 46-47)
4 Malabars
(environ 20g)
80cl (800g) de lait
demi-écrémé
150g de fraises des bois
fraîches
2cl (20g) de sirop
grenadine

PAS À PAS

• Faire bouillir 50 cl de lait et y dissoudre les Malabars émincés. Laisser refroidir.

• Mettre dans le blender votre préparation Malabar, la crème anglaise et les fraises des bois.

• Mixer 1 mn.

• Faire chauffer 30 cl de lait au micro-ondes puissance maximale environ 40 secondes.

• Avec votre mixer muni d'hélices rondes, mixer intensément en surface le lait chaud et la grenadine pour obtenir un mélange très mousseux.

ASTUCE

• On peut remplacer les fraises des bois par des framboises et jouer avec des saveurs subtiles de bonbons comme la réglisse Zan qui se marie parfaitement à la framboise.

Le Malabar nous ramène
à l'enfance avec son goût
de fraise acidulée.
Bubble-gum à grosses
bulles, il a été créé
en 1966.
Héros des sixties
au même titre
que les Beatles,
la pilule et la mini-
jupe.

Milk-shake Multivitaminé

RECETTE POUR 4 MILK-SHAKES

Préparation **15 mn**

Votre marché

250g de crème anglaise
surgelée (p. 46-47)
100g de mangue
fraîche
50g de bananes fraîches
(environ 1 banane)
100g de fraises fraîches
10cl (100g) de jus
d'orange
5cl (50g) de jus
de citron vert
2,5cl (25g) de jus
de gingembre
1 gousse de vanille
de Tahiti
20g de bonbons
pétillants Peta Zeta

PAS À PAS

• Verser tous vos ingrédients dans un blender et mixer pendant 1 mn.

• Dresser votre milk-shake dans les coupes.

• Au dernier moment, parsemer une pincée de bonbons Peta Zeta sur chaque coupe pour obtenir un effet de pétillement sonore en bouche.

ASTUCE pour le jus de gingembre

• Pour préparer votre jus de gingembre, parfum et goût tonique, épluchez et coupez grossièrement 100 g de gingembre frais, passez le tout à la centrifugeuse. Vous pouvez également le congeler.

Les bonbons Peta Zeta viennent d'Espagne.
Ce sont des petits morceaux de sucre cuit associés à du dioxyde
de carbone (CO_2). Lorsque ces bonbons entrent en contact
avec de l'humidité, le gaz carbonique s'échappe,
donnant cette sensation de pétillant.

Milk-shake
Marrakech express

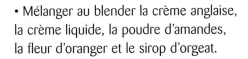

recette

RECETTE POUR 4 MILK-SHAKES

Préparation **15 mn**

Votre marché

*250g de crème anglaise
surgelée (p. 46-47)
150g (35% MG)
de crème liquide
60g de poudre d'amandes
2cl (20g) de fleur
d'oranger
2cl (20g) de sirop
d'orgeat
100g de miel d'acacia*

PAS À PAS

• Mélanger au blender la crème anglaise, la crème liquide, la poudre d'amandes, la fleur d'oranger et le sirop d'orgeat.

• Mixer 1 mn.

• Dresser bien frais dans les coupes et déposer en surface un filet de miel à l'aide d'une cuillère en bois.

ASTUCE

• On peut remplacer la poudre d'amandes par des noisettes ou éventuellement des pistaches.

C'est à la suite d'un voyage à Marrakech que je me suis intéressé au délicat parfum de la fleur d'oranger. Elle se marie très bien au miel, à la vanille et à l'amande qui sont l'essence des parfums du Grand Sud.

Milk-shake Poire Belle-Hélène

recette

RECETTE POUR 4 MILK-SHAKES

Préparation **30 mn**

Votre marché

250g de crème anglaise surgelée (p. 46-47)

30cl (300g / 35% MG) de crème liquide

50g de chocolat amer (70% cacao)

120g de poires pochées

20g de sucre semoule

½ gousse de vanille

Pour faire vous-même vos poires pochées prévoir

500g de sucre semoule

2 poires williams

PAS À PAS

Préparer une ganache :

• Faire bouillir 5 cl (50 g) de crème.

• Verser sur le chocolat fondu et mélanger au fouet.

Préparation de la crème Chantilly

• Mélanger 25 cl (250 g) de crème avec le sucre et la vanille.

• Monter au fouet jusqu'à ce que la chantilly soit bien mousseuse.

• Verser dans un blender la ganache, la crème anglaise surgelée et les poires pochées. Mixer 1 mn au blender.

• Verser le milk-shake aux 3/4 dans vos verres et dresser la crème chantilly à ras bord.

ASTUCE pour les poires pochées

Epluchez vos poires, coupez-les en 2 et enlevez les pépins. Faites bouillir l'eau et le sucre. Baissez le feu et pochez vos poires dans le sirop. Recouvrez. Ces dernières seront parfaites lorsque la chair sera tendre (vérifier avec la lame d'un couteau).

Cet emblématique dessert à base de sauce chocolat, de poires pochées, de crème Chantilly et d'amandes effilées caramélisées dites Polignac, a été créé par l'extraordinaire chef Auguste Escoffier (1846-1935).

Milk-shake Praliné citron

RECETTE POUR 4 MILK-SHAKES

Préparation **30 mn**

Votre marché

*250g de crème anglaise
surgelée (p. 46-47)*
100g de praliné noisettes
*50g de noisettes
émondées et grillées*
1 citron jaune
*100g (35% MG)
de crème liquide*
200g de sucre semoule

PAS À PAS

• Prélever les zestes et presser le jus du citron.

• Les mélanger dans le blender avec la crème anglaise, le praliné, les noisettes et la crème.

• Mixer 1 mn.

Préparation du caramel

• Cuire dans une casserole le sucre et 3 cl d'eau jusqu'à l'obtention d'un caramel clair à 180 °C.

• Pour stopper la cuisson, mettre à refroidir votre casserole jusqu'à mi-hauteur dans un récipient d'eau froide.

• Lorsque le caramel a épaissi, tremper le bord de chaque verre à milk-shake dedans en l'étirant délicatement pour lui donner une jolie forme.

• Verser votre préparation dans les coupes. Même à boire glacé, ce milk-shake chauffe les sens.

Le praliné, mélange de sucre caramélisé et d'amandes (ou noisettes), a été inventé par le pâtissier (dont l'histoire n'a pas hélas retenu le nom) du maréchal du Plessis-Praslin, duc de Choiseul (1598-1678). Parmi toutes les friandises qui font la gloire des chocolatiers confiseurs, les pralinés occupent incontestablement la première place.

Mes *Choux*

Réaliser ses rêves d'enfant, c'est aller au-delà de ceux que l'on avait imaginés.

Vers 16 heures, j'ai toujours un petit creux, un petit vertige. Une envie de sucrerie, d'une *pâte moelleuse* et fondante pour dynamiser mon énergie. J'ai besoin de goûter ! Peut-être aurai-je dix ans toute ma vie, l'âge où, à la sortie de l'école, je parcourais des kilomètres à vélo pour acheter éclair au café, religieuse au chocolat, choux à la Chantilly... ou pour dévorer un flan qui tient une place particulière dans mon cœur de gourmand.

Ma vocation de pâtissier est née de ces souvenirs d'enfance. Je voulais retrouver ces émotions intenses et voluptueuses avec leur palette de saveurs douces et pleines qui vous renversent à la première bouchée fondant dans la bouche.

La pâte à choux est une base légère, élégante et parfumée, qui permet toutes les combinaisons crémeuses à souhait dont elle est le réceptacle idéal, dans sa forme ronde, étirée ou en hauteur.

Alors si, comme moi, votre gourmandise est «religieuse», si elle vous foudroie comme «un éclair», faites de ces desserts vos «choux-choux».

Préparation
Pâte à choux

RECETTES POUR 8 CHOUX, ÉCLAIRS ET RELIGIEUSES

 Préparation **30 mn** - Repos **30 mn** - Cuisson **25 mn**

- **7,5 cl** (75 g) d'eau
- **7,5 cl** (75 g) de lait
- **2 g** de sucre
- **2 g** de sel fin
- **65 g** de beurre
- **85 g** de farine
- **3** œufs (150 g)

1 • Faire bouillir l'eau, le sucre, le sel dans une casserole.

2 • Ajouter la farine tamisée en une seule fois, et remuer vivement avec une spatule, sur feu moyen.

3 • Lorsque la pâte à choux est tiède, ajouter les œufs (laissés à température ambiante) un par un, en mélangeant énergiquement.

4 • Utiliser une poche en plastique avec une douille unie n° 12, plus facile à manier pour dresser votre pâte à choux encore tiède, elle n'en sera que plus régulière.

5 • Dresser deux longs boudins sur une feuille siliconée, puis les gros et petits choux.

◎ Il est important de tamiser la farine afin d'obtenir une pâte à choux sans grumeaux.

Vous pouvez stocker vos choux cuits au congélateur dans des boîtes en plastique hermétiques.

6 ▪ A l'aide d'un vaporisateur, asperger votre pâte à choux d'eau. Stocker les boudins au congélateur pour les surgeler et les couper plus facilement.

7 ▪ Après congélation, couper les éclairs sur 12 cm de long.

8 ▪ Saupoudrer vos choux avec un mélange de sucre en grains et d'amandes hachées, ou disposer dessus un disque très fin de pâte sucrée pour obtenir un chou bombé à l'aspect régulier.

9 ▪ Préchauffer votre four à 250 °C, thermostat 8. Enfourner votre plaque, puis éteindre votre four pendant environ 10 mn.

10 ▪ Puis le rallumer et baisser à 160 °C, (th. 6) pendant 15 mn.

11 ▪ Prendre soin de laisser sécher votre pâte à choux. Eteindre le four dès que vos éclairs et choux prennent une teinte blond caramel. En couper un, pour vous assurer de sa bonne cuisson.

Chou
Fjord framboise

RECETTE POUR 8 CHOUX

Préparation **30 mn**

Votre marché

20cl (200g) de crème
liquide (35% MG)
1 citron vert
9cl (90g) de fromage
blanc Fjord
25g de sucre semoule
90g de mascarpone
150g de confiture
de framboises
300g de framboises
fraîches

PAS À PAS

Préparation d'une crème légère fromage blanc et citron vert

• Mélanger au fouet la crème, le fromage blanc, le sucre, le mascarpone et les zestes d'1 citron.

FINITION

• Couper les choux aux 3/4, garnir le fond avec la confiture ; dresser 5 framboises par chou, et la crème en rosace à l'aide d'une poche et d'une douille cannelée ; poser le chapeau du chou. Déguster très frais.

ASTUCE

• Préparez cette recette une journée à l'avance, le parfum du citron vert sera ainsi renforcé.

Depuis toujours, je suis un fan du fromage blanc Fjord, son goût crémeux et doux se marie délicieusement bien avec les framboises et les zestes de citron vert.

Chou
Tropézien

RECETTE POUR 8 CHOUX

Préparation **45 mn**

Votre marché

30cl (300g) de lait
entier

2 oranges

3 jaunes d'œufs (60g)

25g de Maïzena

120g de sucre semoule

2 feuilles de gélatine
(soit 4g)

120g de beurre doux

3cl (30g) de Grand
Marnier

12cl (120g) de crème
liquide (35 % MG)

PAS À PAS

Préparation de la crème mousseline au Grand Marnier

• Faire bouillir le lait avec les zestes d'oranges.

• Mélanger les jaunes d'œufs, le sucre, la Maïzena et verser le lait bouilli dessus ; remettre au feu sans arrêter de remuer au fouet et laisser encore cuire 30 secondes après ébullition. Eteindre.

• Ajouter la gélatine préalablement ramollie à l'eau, le beurre et le Grand Marnier. Verser votre crème mousseline dans un récipient, la recouvrir d'un film alimentaire et laisser refroidir jusqu'à 30 °C.

• Monter au batteur la crème liquide bien ferme.

• La mélanger au fouet à la crème mousseline.

FINITION

• Couper les choux aux 3/4, les garnir très généreusement de crème mousseline, poser le chapeau sur chaque chou, et réserver au minimum 1 heure avant de déguster. Fraîcheur = bonheur.

ASTUCE

• La vraie Tropézienne est parfumée au kirsch et à la fleur d'oranger, pour ma part je suis un amateur d'agrumes et donc du Grand Marnier. J'aime particulièrement ce chou qui, sans prétention, est presque aussi bon… que l'original.

La tarte tropézienne est devenue un mythe lors du tournage du film *Et Dieu créa la femme*. Cette pâte briochée garnie de crème légère a été créée pour Brigitte Bardot par un boulanger d'origine polonaise, Alexandre Micka.

Chou
Chouchou Francis

RECETTE POUR 8 CHOUX

Préparation **30 mn**

Votre marché

30cl (300g) de crème
liquide (35% MG)
50g de sucre semoule
20cl (200g) de crème
épaisse (35% MG)
2cl (20g) de fleur
d'oranger
Colorants rouge et jaune
150g de confiture
de fraises
250g de fraises
(3 par chou)
4 bananes Fressinette
(1/2 par chou)

PAS À PAS

Préparation de la crème Chantilly à la fleur d'oranger

• Mélanger dans un récipient la crème liquide et épaisse, le sucre, la fleur d'oranger et quelques gouttes de colorant.

FINITION

• Couper les choux en 2. Les tapisser de confiture et garnir avec des cubes de fraises et bananes.

• Dresser la Chantilly avec une poche et une douille unie. Refermer avec le chapeau du chou et planter dans la crème des lamelles de fraises et de bananes.

ASTUCE

• Vous pouvez peser et réserver en grande quantité cette préparation au réfrigérateur. Lorsque vous en avez besoin, il suffit juste de monter la crème nécessaire au fouet pour finir votre succulent dessert.

Merci à Francis Kurkdjian, célèbre parfumeur, qui m'a aidé à créer l'association très subtile autour de la fraise, de la banane et de la fleur d'oranger

Chou
Caramel pomme Tatin

RECETTE POUR 8 CHOUX

Préparation **50 mn**
Repos **2 h**

Votre marché

180g de sucre cassonade
35cl (350g) de crème
liquide (35% MG)
1 feuille de gélatine
(soit 2g)
8 pommes golden
100g de beurre demi-
sel

PAS À PAS

Préparation de la crème Chantilly caramel

• Cuire 80 g sucre à sec jusqu'à l'obtention d'un caramel.

• Faire bouillir la crème et verser le caramel dedans.

• Porter de nouveau à ébullition, puis ajouter la gélatine préalablement ramollie dans l'eau froide, mixer, chinoiser.

• Stocker dans une boîte hermétique minimum 12 heures au réfrigérateur avant utilisation.

CUISSON ET FINITION

• Couper les chapeaux des pommes et les réserver pour le décor ; éplucher le reste des pommes, les couper en 8, retirer les pépins et les déposer sur votre plaque à cuisson recouverte d'un papier sulfurisé.

• Lustrer les quartiers de pommes avec du beurre fondu et les saupoudrer avec un peu de cassonade. Les faire rôtir 10 mn à 200 °C (th. 7).

• Superposer 5 quartiers de pommes rôties par chou.

• Verser la crème Chantilly dans une poche avec une douille cannelée et dessiner une belle rosace sur les pommes.

• Pour la touche finale, coiffer le chou avec les chapeaux de pomme réservés.

ASTUCE

• J'utilise de la cassonade à la place du sucre semoule pour obtenir un goût de caramel plus prononcé.

En 1898, à la suite d'une erreur de cuisson, les sœurs Tatin (aubergistes en Sologne) proposèrent à leurs clients une tarte renversée, pâte sur le dessus et pommes trop cuites en dessous… une maladresse qui assura à jamais leur célébrité ! Je dédie ce chou étonnant à mon ami Philippe Andrieu, fantastique chef pâtissier de la maison Ladurée et concepteur du premier macaron pomme-caramel qui est un summum de la gourmandise !

Chou
Croque sésame

RECETTE POUR 8 CHOUX

Préparation **45 mn**
Repos **12 h**

Votre marché

*35cl (350g) de crème
liquide (35% MG)
170g de sésame
125g de chocolat
au lait (40% cacao)
50g de sucre semoule*

PAS À PAS

Préparation de la crème légère chocolat au lait et sésame

• Faire griller au four 20 g de sésame.

• Faire bouillir la crème dans une casserole.

• Ajouter le sésame grillé et laisser infuser minimum 15 mn puis chinoiser.

• Verser la crème bouillante en trois fois sur le chocolat haché, mélanger avec un fouet jusqu'à l'obtention d'un mélange lisse et brillant, et passer au mixeur.

• Stocker dans une boîte hermétique minimum 12 heures au réfrigérateur avant utilisation.

Préparation de la tuile au sésame

• Faire un sirop avec 50 g de sucre et 5 cl (50 g) d'eau. Mélanger 150 g de sésame avec le sirop, vous obtiendrez une pâte souple de tuile au sésame.

CUISSON

• Etaler votre tuile finement au rouleau entre deux feuilles de papier sulfurisé, puis cuire environ 10 mn à 170 °C (th. 5).

• Après cuisson, détailler des disques dans votre tuile et réserver dans un endroit sec jusqu'au moment du montage.

FINITION

• Découper en 2 votre chou.

• Monter au fouet la crème légère au sésame et la mettre en poche avec une grosse douille unie.

• Dresser sur votre chou, en superposant 1 disque de tuile. Recommencer l'opération jusqu'à la hauteur désirée.

ASTUCE

• Prenez le temps de réaliser votre crème la veille pour lui permettre de cristalliser. Sinon, montée tiède, elle aura tendance à grainer ; dans le langage pâtissier, on dit qu'elle « tranche ».

Le sésame est l'une des premières plantes oléagineuses que l'homme a cultivées. Il est considéré en Inde comme un symbole de l'immortalité. Selon la médecine hindoue, il renforcerait même l'intelligence… A bon entendeur !

Religieuse
Fraise
en trompe-l'œil

recette

RECETTE POUR 8 RELIGIEUSES

Préparation **45 mn**
Repos **2 h**

Votre marché

1kg de fraises fraîches
100g de sucre semoule
3 jaunes d'œufs (60g)
20g de Maïzena
200g de fondant
1 feuille de gélatine
(soit 2g)
200g de beurre
20cl (200g) de crème
liquide (35% MG)
5cl (50g) de crème
épaisse
(35% MG)
100g de pâte
d'amandes verte
Colorant rouge
Colorant vert pistache

PAS À PAS

Préparation du crémeux à la fraise

• Mixer 800 g de fraises et les réduire à feu doux jusqu'à obtenir 500 g de purée.

• Mélanger dans un récipient les jaunes d'œufs, la Maïzena, 80 g de sucre et le coulis de fraise. Porter de nouveau à ébullition pendant 30 secondes sans cesser de remuer.

• Sortir du feu et ajouter la gélatine préalablement ramollie dans l'eau.

• Transvaser dans un bol recouvert d'un film et laisser refroidir à 45 °C.

• Mixer puis ajouter le beurre coupé en dés petit à petit.

• Stocker dans une boîte hermétique minimum 2 heures au réfrigérateur avant utilisation.

FINITION

• Garnir les choux de crémeux à l'aide d'une poche et d'une douille unie.

• Garnir chaque gros chou avec des fraises coupées en 4.

• Chauffer votre fondant avec un peu d'eau et de colorant rouge à 37 °C. Tremper tous vos choux dedans et en lisser les bords avec votre doigt.

• Superposer le petit chou sur le gros et réserver au réfrigérateur.

Préparation de la Chantilly pour le décor.

• Monter au fouet la crème liquide et épaisse avec 20 g de sucre semoule et une goutte de colorant vert. A l'aide d'une minidouille, dresser une collerette sur votre religieuse et apposer sur son sommet une petite queue en pâte d'amande verte.

ASTUCE

• On peut également parfumer cette recette de crémeux en remplaçant les fraises par des framboises.

⦿ C'est
en visitant
le musée Pablo-
Picasso à Barcelone et
en découvrant le cubisme, que
j'ai commencé à voir des fruits, fraises, ananas,
oranges, etc., transformés en religieuses. Il suffit
de reproduire la bonne couleur et surtout
de conserver le vrai goût des fruits.

Religieuse Marrons glacés

RECETTE POUR 8 RELIGIEUSES

Préparation **45 mn**
Repos **2 h**

Votre marché

*35cl (350g) de lait
entier*
80g de sucre semoule
3 jaunes d'œufs (60g)
15g de Maïzena
*5 feuilles de gélatine
(soit 10g)*
*250g de purée
de marrons non sucrée*
*175g de crème
de marrons*
*2cl (20g) de rhum
brun*
80g de beurre
*100g de débris
de marrons confits*
*150g de fondant
Colorant marron*
1 gousse de vanille
*15cl (150g) de crème
liquide (35% MG)*
*5cl (50g) de crème
épaisse (35% MG)*

PAS À PAS

Préparation du crémeux aux marrons

• Faire bouillir le lait dans une casserole.

• Mélanger le sucre, les jaunes d'œufs et la Maïzena ; verser le lait bouillant sur votre mélange et porter à ébullition jusqu'à 30 secondes sans cesser de remuer.

• Sortir du feu, ajouter la gélatine préalablement ramollie et le rhum, verser sur la purée et 125 g de crème de marrons.

• Laisser refroidir à 45 °C, mixer et ajouter le beurre coupé en dés, petit à petit.

• Stocker dans une boîte hermétique minimum 2 heures au réfrigérateur avant utilisation.

FINITION

• Garnir vos petits et gros choux de crémeux à l'aide d'une poche et d'une douille unie en prenant soin d'ajouter les débris de marrons confits – soyons totalement gourmands !

• Chauffer votre fondant à 37 °C avec un peu d'eau et du colorant marron.

• Ajouter la gousse de vanille puis tremper les choux dans le fondant en en enlevant l'excédent avec votre doigt.

• Superposer le petit sur le gros chou et réserver au réfrigérateur le temps de préparer votre crème montée : monter au fouet la crème liquide, la crème épaisse et 50 g de crème de marrons bien ferme.

• Puis dresser entre le gros et le petit chou une couronne de crème montée à l'aide d'une petite douille modèle saint-honoré.

ASTUCE

• Attention aux températures, plus vous incorporez votre beurre froid dans le crémeux, plus la texture sera dense et grasse. Il est préférable de sortir votre beurre 30 mn avant la préparation pour réussir pleinement votre crémeux.

J'ai voulu faire un clin d'œil aux nonnes qui portaient autrefois une ursuline autour du cou et en souvenir du *Gendarme à Saint-Tropez* et de l'inoubliable scène de la religieuse conduisant Louis de Funès dans sa 2 CV.

Religieuse
Princesse

RECETTE POUR 8 RELIGIEUSES

PAS À PAS

**Préparation du crémeux
à la dragée**

- Faire bouillir le lait dans
une casserole.

- Mélanger le sucre, les jaunes
d'œufs et la Maïzena dans
un récipient.

- Verser le lait bouillant sur
la préparation et remettre sur
le feu jusqu'à ébullition pendant
30 secondes sans cesser
de remuer.

- Retirer du feu, ajouter la gélatine
préalablement ramollie à l'eau,
l'Amaretto et l'amande amère.

- Mettre dans un récipient
et laisser refroidir à 45 °C.

- Mixer.

- Ajouter 250 g de beurre coupé
en dés, petit à petit.

- Stocker dans une boîte
hermétique minimum 2 heures
au réfrigérateur avant utilisation.

FINITION

- Prendre des abricots mûrs
(j'ai une préférence pour ceux
du Roussillon), enlever le noyau,
les couper en 6 ; les badigeonner
dans un récipient avec 100 g
de beurre fondu et le sucre
cassonade.

- Les déposer sur une plaque de
cuisson et enfourner à 200 °C
(th. 7) pendant 10 mn. Réserver
à température ambiante pour
la garniture des religieuses.

- Garnir les petits et gros choux
avec le crémeux à la dragée et les
fourrer avec un demi-abricot rôti.

- Réserver au réfrigérateur.

- Chauffer votre fondant avec
un peu d'eau et le colorant
à 37 °C.

- Tremper vos choux dans
le fondant et lisser chaque bord
avec le doigt.

- Superposer le gros et le petit
chou et réserver au réfrigérateur.
Manger très frais.

ASTUCES

- Pour que vos religieuses soient
à la noce, découpez un triangle
de tissu en tulle de 5 cm de côté
et posez-le entre le gros et petit
chou.

- Si vous voulez leur donner
un air champêtre, étalez la pâte
d'amandes, détaillez-la avec
un petit emporte-pièce en forme
de fleur et, au centre, posez
une bille de pâte d'amandes
orange. C'est la fleur sur
le gâteau.

Préparation **60 mn**
Repos **2 h**

Votre marché

40 cl (400 g) de lait
entier
80 g de sucre semoule
3 jaunes d'œufs (60 g)
25 g de Maïzena
3 feuilles de gélatine
(soit 6 g)
6 cl (60 g) d'Amaretto
5 gouttes d'extrait
d'amande amère
350 g de beurre
8 abricots
100 g de sucre
cassonade
200 g de fondant
Colorant orange
100 g de pâte d'amandes

L'Amaretto est un alcool italien issu d'une macération de noyaux d'abricots ; j'ai voulu l'associer et mettre à l'honneur la dragée, symbole du mariage et des contes de fées.

Religieuse Ananas Victoria

RECETTE POUR 8 RELIGIEUSES

Préparation **60 mn**
Repos **2 h**

Votre marché

*1,2 kg de purée
d'ananas Victoria
30 g de sucre semoule
4 jaunes d'œufs (80 g)
25 g de Maïzena
3 feuilles de gélatine
(soit 6 g)
200 g de beurre
200 g de fondant
1 gousse de vanille
Colorant jaune
150 g d'angéliques
confites*

PAS À PAS

Préparation du crémeux ananas

• Eplucher les ananas, en prélever 200 g découpés en cubes, les cuire au micro-ondes puissance maximale dans un bac plastique fermé. L'ananas sera cuit quand il sera translucide. Egoutter et réserver au réfrigérateur.

• Avec le reste du fruit, enlever les cœurs, mixer et porter à ébullition. Puis réduire à feu doux jusqu'à ce que votre purée d'ananas pèse 600 g.

• Mélanger le sucre, les jaunes d'œufs et la Maïzena.

• Verser la purée d'ananas dedans et remettre au feu à ébullition pendant 30 secondes sans cesser de remuer. Transvaser dans un récipient et ajouter la gélatine, recouvrir d'un film et laisser refroidir à 45 °C. Ajouter le beurre coupé en dés petit à petit et mixer.

• Stocker dans une boîte hermétique minimum 2 heures au réfrigérateur avant utilisation.

FINITION

• Garnir tous les choux avec le crémeux à l'ananas à l'aide d'une poche à douille unie. Incorporer une cuillère à soupe d'ananas cuit au micro-ondes. Réserver au réfrigérateur.

• Chauffer le fondant avec un peu d'eau et le colorant jaune à 37 °C. Ajouter la gousse de vanille, tremper vos choux dans le fondant. Et retirer l'excédent de fondant avec votre doigt.

• Superposer le petit chou sur le gros, couper des triangles d'angéliques confites et les planter au sommet du gros chou.

ASTUCES

• Lorsque l'on utilise de la pulpe d'ananas fraîche ou des kiwis, il est important de les faire bouillir pour enlever l'enzyme acide que ces fruits contiennent.

• Si vous ne trouvez pas d'angéliques, servez-vous du toupet de l'ananas en décor.

Mauvaise nouvelle pour les fervents défenseurs de l'ananas amaigrissant : contrairement à toutes les croyances, ce fruit ne fait pas maigrir, il contient juste un enzyme qui permet de mieux digérer !

Religieuse
Caramel
beurre de sel

recette

RECETTE POUR 8 RELIGIEUSES

Préparation **60 mn**
Repos **2 h**

Votre marché

325g de sucre semoule
*36cl (360g) de lait
entier*
3 jaunes d'œufs (60g)
20g de Maïzena
*1 feuille de gélatine
(soit 2g)*
*200g de fondant
Colorant caramel*
*100g d'amandes
concassées et grillées*

PAS À PAS

Préparation du crémeux caramel

• Faire bouillir le lait.

• Cuire à sec 125 g de sucre dans une casserole jusqu'à l'obtention d'un caramel brun.

• Verser le lait bouillant en trois fois sur le caramel.

• Porter à ébullition et retirer du feu aussitôt.

• Mélanger les jaunes d'œufs et la Maïzena, verser le lait bouillant caramel. Reporter sur le feu jusqu'à ébullition pendant 30 secondes sans cesser de remuer. Ajouter la gélatine préalablement ramollie à l'eau et réserver dans un bol filmé.

• Laisser refroidir à 45 °C.

• Mixer puis ajouter le beurre coupé en dés, petit à petit.

• Stocker dans une boîte hermétique minimum 2 heures au réfrigérateur avant utilisation.

FINITION

Préparation de la nougatine

• Cuire à sec 200 g de sucre semoule jusqu'à l'obtention d'un caramel brun. Ajouter en une seule fois les amandes légèrement grillées et laisser refroidir sur une feuille de papier sulfurisé. Passer votre mixture au robot-coupe pour obtenir une nougatine pilée.

• Garnir très généreusement la religieuse de crémeux caramel.

• Chauffer le fondant avec un peu d'eau et de colorant à 37 °C.

• Tremper vos choux dans le fondant, essuyer l'excédent avec le doigt et parsemer de nougatine pilée.

• Superposer les petits choux sur les gros. Réserver au réfrigérateur et déguster bien frais, ils vous réchaufferont le cœur et les sens.

ASTUCE ⚠

• Attention ! Un caramel trop clair n'a pas assez de goût, trop foncé il est trop amer.

Voici ma toute première création, elle est devenue très rapidement un grand classique de la carte du goûter de l'hôtel Plaza Athénée à Paris. Un hommage à Isabelle Maurin, grande prêtresse *in situ* de cette religieuse qui est son péché.

Éclair
Paris-Brest

RECETTE POUR 8 ÉCLAIRS

Préparation **30 mn**
Repos **2 h**

Votre marché

*8cl (80g) de crème
liquide
3 feuilles de gélatine
(soit 6g)
100g de pâte de noisettes
1 pincée de sel fin
45cl (450g) de crème
liquide (35% MG)
350g de praliné noisettes
50g de noisettes grillées*

PAS À PAS

Préparation de la crème mousseline pralinée

• Mélanger dans un récipient le praliné,
la pâte de noisettes et le sel.

• Faire bouillir la crème dans une casserole,
ajouter la gélatine préalablement ramollie à l'eau
et verser votre crème bouillante en 3 fois
sur le mélange de praliné en remuant à l'aide
d'une maryse.

• Monter la crème liquide bien ferme
et la mélanger à la crème mousseline.

• Stocker dans une boîte hermétique minimum
2 heures au réfrigérateur avant utilisation.

FINITION

• Dresser votre crème sur votre éclair à l'aide
d'une poche et d'une douille modèle saint-
honoré, en faisant des vagues, puis parsemer
avec des éclats de noisettes grillées.

ASTUCES

• Pour réaliser vous-même votre pâte noisette,
il suffit de griller les noisettes, les mixer au robot-
coupe et mettre en réserve au réfrigérateur.

• Cette recette est magique. Vous pouvez
la réaliser, puis la réserver 2 ou 3 jours
au réfrigérateur, et garnir au dernier moment
vos éclairs.

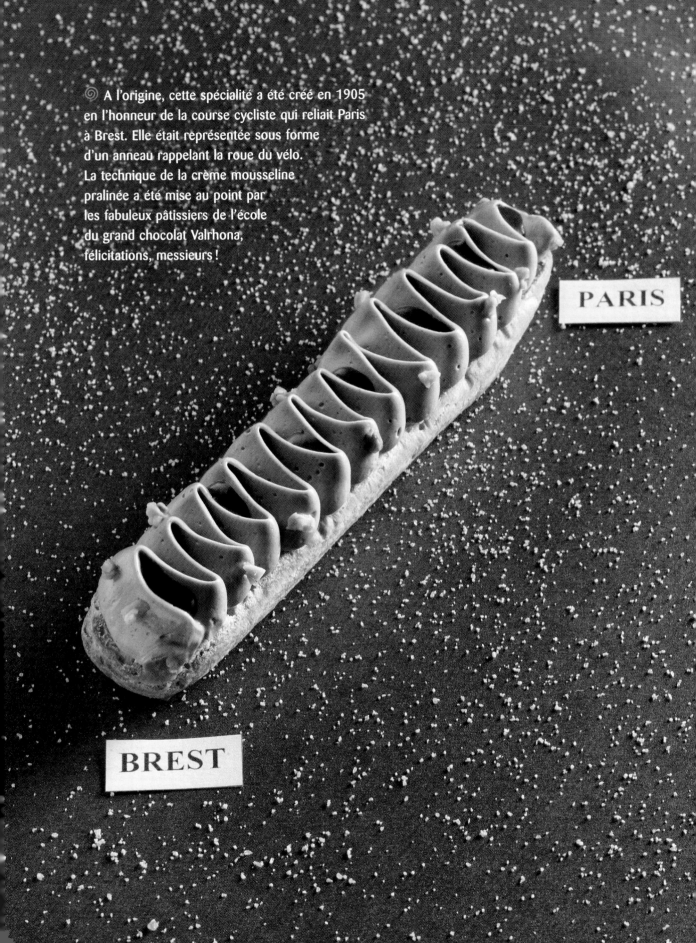

A l'origine, cette spécialité a été créé en 1905 en l'honneur de la course cycliste qui reliait Paris à Brest. Elle était représentée sous forme d'un anneau rappelant la roue du vélo. La technique de la crème mousseline pralinée a été mise au point par les fabuleux pâtissiers de l'école du grand chocolat Valrhona, félicitations, messieurs !

PARIS

BREST

Éclair
Confiture de lait

RECETTE POUR 8 ÉCLAIRS

Préparation **35 mn**
Repos **2 h**

Votre marché

40cl (400g) de lait entier
200g de confiture de lait
4 jaunes d'œufs (80g)
20g de Maïzena
5 feuilles de gélatine (soit 10g)
100g de beurre

PAS À PAS

Préparation d'un crémeux à la confiture de lait

• Faire bouillir le lait.

• Mélanger la confiture de lait, les jaunes d'œufs et la Maïzena ; verser le lait bouilli dessus et mettre au feu.

• Porter à ébullition 30 secondes toujours en remuant au fouet. Ajouter la gélatine préalablement ramollie à l'eau et verser la préparation dans un récipient.

• Laisser refroidir à 45 °C, mixer et ajouter petit à petit le beurre coupé en dés.

• Stocker votre crémeux dans une boîte hermétique minimum 2 heures au réfrigérateur avant utilisation.

FINITION

• Garnir les éclairs puis tremper chaque extrémité dans de la véritable confiture de lait… un délice !

ASTUCE

• Pour réaliser vous-même votre confiture de lait, utilisez 1 boîte de lait concentré sucré et posez-la dans une casserole remplie à moitié d'eau. Faire cuire au bain-marie, eau frémissante, pendant environ 2 heures.

J'ai découvert la confiture de lait au Brésil mais la légende raconte que sa conception serait due à la distraction d'un chef cuisinier de l'armée napoléonienne, qui aurait servi aux soldats en campagne un bol de lait sucré ayant chauffé plus longtemps que prévu, et dont le résultat avait satisfait les grognards.

Éclair **Fraîcheur**

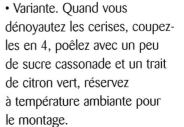

recette

RECETTE POUR 8 ÉCLAIRS

Préparation **60 mn**
Repos **2 h**

Votre marché

55cl (550g) de lait entier
20g de verveine fraîche
2 citrons verts
120g de sucre semoule
3 jaunes d'œufs (60g)
35g de Maïzena
4 feuilles de gélatine (soit 8g)
170g de beurre doux
250g de cerises
200g de fondant
Colorants jaune et rouge

PAS À PAS

Préparation du crémeux verveine

• Faire bouillir le lait et laisser infuser 15 mn à couvert, la verveine et les zestes de citrons. Chinoiser.

• Mélanger le sucre, les jaunes d'œufs et la Maïzena dans un récipient et verser le lait bouillant dessus.

• Remettre sur le feu jusqu'à 30 secondes après ébullition en remuant vivement.

• Ajouter la gélatine préalablement ramollie dans l'eau.

• Transvaser votre crème dans un récipient et la recouvrir d'un film.

• Lorsque la température de la crème est à 45 °C, mixer et ajouter le beurre petit à petit.

• Stocker dans une boîte hermétique au minimum 2 heures au réfrigérateur.

FINITION

• Couper les éclairs en 2 sur toute la longueur. Les garnir de crémeux verveine et ajouter 3 cerises nature dénoyautées par éclair.

• Chauffer votre fondant avec un peu d'eau à 37 °C, ajouter le colorant jaune.

• Tremper vos éclairs dans le fondant et les lisser avec votre doigt ; colorer le reste du fondant avec le colorant rouge et le verser dans un cornet en papier sulfurisé.

• Dresser une virgule de fondant rouge sur vos éclairs montés d'une cerise et d'une feuille de verveine.

• Réserver au réfrigérateur avant dégustation. A dévorer de préférence au goûter.

ASTUCE petit PLUS

• Variante. Quand vous dénoyautez les cerises, coupez-les en 4, poêlez avec un peu de sucre cassonade et un trait de citron vert, réservez à température ambiante pour le montage.

Un éclair de génie. Cette pâtisserie a été conçue au début du xxᵉ siècle pour se déguster facilement et dans n'importe quel endroit, d'où l'expression manger comme… l'éclair.

Éclair Réglisse

RECETTE POUR 8 ÉCLAIRS

Préparation **45 mn**
Repos **2 h**

Votre marché

*45cl (450g) de lait
entier
8g de réglisse Zan
240g de sucre semoule
6 jaunes d'œufs (120g)
3 œufs entiers (150g)
3 feuilles de gélatine
(soit 6g)
400g de beurre
3cl (30g) d'alcool
anisé
200g de fondant
3cl (30g) de liqueur
de café*

PAS À PAS

Préparation du crémeux réglisse

• Faire bouillir le lait.

• Dissoudre le Zan dans le lait.

• Mélanger dans un récipient le sucre, les jaunes d'œufs et les œufs entiers ; verser le lait bouillant dessus ; remettre au feu et porter à 85 °C en remuant vivement.

• Eteindre et ajouter la gélatine et l'alcool anisé.

• Laisser refroidir à 45 °C, mixer et ajouter le beurre coupé en dés, petit à petit.

• Stocker dans une boîte hermétique minimum 2 heures au réfrigérateur avant utilisation.

FINITION

• Garnir vos éclairs entiers avec votre crémeux réglisse à l'aide d'une poche et d'une douille unie.

• Chauffer votre fondant à 37 °C, ajouter un peu d'eau et de liqueur de café et tremper vos éclairs entiers dedans. C'est un dessert parfait à déguster l'été. Savoureux et rafraîchissant.

ASTUCE

• Pour cette recette, on peut étaler la pâte à choux sur une épaisseur de 1,5 cm puis la surgeler. Ensuite, il suffit de découper à votre convenance la forme désirée. Un procédé qui permet de réaliser un éclair plus vrai que nature.

Le merveilleux Zan a été créé en 1862 par le Français Henri Laffont puis racheté par Ricqlès en 1970, et en 1985 par Haribo qui malheureusement a la faiblesse de le sucrer pour satisfaire au goût d'aujourd'hui. Ce bon vieux Zan revisité, j'en dédie la saveur subtile à Claire Damon qui en est l'inspiratrice.

Éclair
Vaguelettes chocolat

recette

RECETTE POUR 8 ÉCLAIRS

Préparation **30 mn**
Repos **2 h**

Votre marché

16cl (160g) de crème
liquide (35% MG)
16cl (160g) de lait
entier
3 jaunes d'œufs (60g)
50g de sucre semoule
100g de chocolat noir
(56% cacao)
100g de chocolat
(70% cacao)
Pour le décor :
200g de chocolat noir
(56% cacao)

PAS À PAS

Préparation du crémeux chocolat mi-amer

• Faire bouillir le lait et la crème dans une casserole.

• Mélanger les jaunes d'œufs et le sucre, verser dessus le lait bouilli et la crème, remettre au feu dans une casserole en mélangeant à l'aide d'un fouet et cuire à 85 °C ; retirer du feu et verser votre crème en 3 fois sur les chocolats hachés sans cesser de remuer pour obtenir un mélange lisse et brillant. Mixer.

• Stocker dans une boîte hermétique minimum 2 heures à 4°C avant utilisation.

FINITION

• Couper les éclairs en 2 sur la longueur, dresser le crémeux chocolat avec une douille plate « à chemin de fer » en faisant des vaguelettes et déposer des triangles en chocolat (voir recette ci-dessous) sur chaque éclair.

Réalisation de la couverture de chocolat noir

• Emincer finement le chocolat et le réserver dans un bac en plastique.

• Le chauffer au micro-ondes à puissance maximale pendant 10 secondes. Le sortir, puis le remuer énergiquement et le remettre au micro-ondes pendant 10 secondes. Renouveler cette opération jusqu'à ce que votre préparation atteigne 30/31 °C.

• Quand votre préparation est prête, étaler une fine couche de chocolat sur une feuille en plastique.

• Lorsque le chocolat commence à figer, découper 8 triangles de 12 cm de long sur 2,5 cm de large. Votre décoration est prête.

J'adore reproduire l'effet séduisant
tout en ondulations du Viennetta,
dessert ô combien célèbre
dans tous les foyers
français…

Mes Tartelettes

New York, ses gratte-ciel, son énergie, sa population cosmopolite… et les tartes de Maury Rubin ! Son nom ne vous dit certainement rien, mais mon palais s'en souvient encore ! Lorsque je travaillais à Manhattan, il m'arrivait de contourner six blocks juste pour le plaisir de dévorer des yeux la vitrine de la City Bakery… puis de m'y précipiter ! Belles à contempler, une esthétique d'un classicisme parfait, leurs pâtisseries sont un délice à déguster : pâtes croustillantes, fines comme des dentelles, *crèmes aériennes*, fruits fondants aux saveurs qui éclatent en bouche ! J'aime les tartes pour leur noble *simplicité*. Toutes pâtes confondues, mais la sucrée d'abord, sont des supports remarquables et des sources d'inspiration qui mettent en valeur les fruits de saison ou d'autres garnitures très accommodées et plus rock'n roll. Affaire à suivre… et à faire dans les pages suivantes. Place aux *star… telettes…* !

Préparation
Pâte à tarte sucrée

RECETTES POUR 40 FONDS DE TARTELETTES

 Préparation **60 mn** - Repos **3 h** - Cuisson **30 mn**

- **190 g** de farine
- **20 g** de fécule de pommes de terre
- **90 g** de sucre glace
- **130 g** de beurre
- **35 g** de poudre d'amandes
- **1** pincée de sel fin
- **1** (50 g) œuf

CRÈME AMANDINE
- **200 g** de beurre
- **200 g** de sucre semoule
- **200 g** de poudre d'amandes brutes
- **4** œufs (200 g)
- **10 cl** (100 g) de crème liquide (45 % MG)

1 • Tamiser la farine, la fécule et le sucre glace.

2 • Couper le beurre en dés et le travailler à la main.

3 • Ajouter les œufs l'un après l'autre.

4 • Lorsque tous les ingrédients sont mélangés, mettre en boule, filmer et stocker au minimum 1 heure au réfrigérateur avant utilisation.

5 • Etaler votre pâte sur une hauteur de 2 mm environ, et la piquer à l'aide d'une fourchette.

◎ Lorsque je réalise une pâte sucrée, je retire toujours 5 % de farine que je remplace par de la fécule de pommes de terre. Cela permet d'obtenir une texture plus croustillante. Vous l'avez certainement remarqué, je n'ai pas pris la peine de réaliser les bords de ma tarte : cette solution reste la plus simple et la plus efficace. N'hésitez pas à préparer la veille la crème ainsi que la pâte. Vous pouvez conserver ces deux recettes au congélateur sans aucun problème (à condition qu'elles soient bien filmées). Cuisez les tartelettes aussitôt, elles seront croustillantes à souhait… rien ne remplace la fraîcheur d'un produit cuit le jour même.

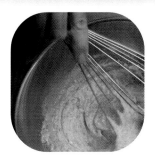

6 • Faire des disques de 5 cm de diamètre et laisser reposer une heure avant cuisson.

7 • Mélanger tous les ingrédients pour la crème amandine au fouet.

8 • Ajouter la crème. Surtout ne pas l'émulsionner, sinon elle risque de gonfler au four. La réserver au minimum 1 heure au réfrigérateur.

9 • Cuire les fonds de pâte sucrée environ 8 mn à 170 °C (th. 5). Laisser refroidir puis poser des cercles à tarte beurrés et farinés de 5 cm de diamètre et 2 cm de haut.

10 • Dresser la crème d'amandes sur les fonds de pâte sucrée cuits et mettre au four 20 mn environ à 170 °C (th. 5).

11 • Sortir du four et laisser reposer sur une grille. Passer la lame d'un couteau entre le cercle et la tartelette pour décoller le tout.

Tartelette
Sexy figue

RECETTE POUR 8 TARTELETTES

Préparation **45 mn**
Repos **2 h**

Votre marché

100g de pulpe
de figues séchées
150g de pulpe
de framboises
170g de sucre semoule
1 citron jaune
2 feuilles de gélatine
(soit 6g)
3 blancs d'œufs (90g)

PAS À PAS

Préparation pour coulis gélifié de figues-framboises

• Porter à ébullition les figues recouvertes d'eau.

• Retirer du feu et les laisser gonfler pendant 1 heure.

• Retirer les queues et les couper en 2 puis récupérer la pulpe. Ne pas utiliser la peau.

• Puis de nouveau porter les fruits avec 30 g de sucre à ébullition.

• Ajouter 1,5 cl (15 g) de jus de citron.

• Ajouter la gélatine préalablement ramollie à l'eau. Mixer votre préparation et versez-la dans des moules demi-sphériques.

• Surgeler minimum 2 heures.

Préparation de la meringue suisse

• Pocher les blancs avec 140 g de sucre au bain-marie tout en les fouettant vigoureusement au fouet. Quand la température atteint 50 °C, retirer du bain-marie et utiliser un batteur électrique pour monter la meringue et la faire refroidir à 30 °C.

FINITION

• Posez le dôme de coulis gélifié encore surgelé sur la tartelette, puis dressez à l'aide d'une douille unie des boules de meringue suisse ; avec un chalumeau, caramélisez délicatement le dessus de la meringue.

Je me suis inspiré des biscuits
Figolu dévorés devant mes séries TV
préférées lorsque j'étais enfant
pour réaliser cette tartelette
fondante et savoureuse.

Tartelette
Chocolat noisettes

RECETTE POUR 8 TARTELETTES

Préparation **60 mn**
Repos **2 h**

Votre marché

*150g / 15cl de crème
liquide (35% MG)
15cl (150g) de lait
entier
4 jaunes d'œufs (80g)
20g de sucre semoule
300g de chocolat noir
(70% cacao)
250g de gianduja
au lait-noisettes
60g de pâte de noisettes
150g de Nutella
100g de céréales
«Graham Crackers»
5cl (50g) d'huile
de pépins de raisin
1 sachet de M&M'S*

PAS À PAS

Préparation du crémeux gianduja

• Couper le gianduja, 120 g de chocolat et les mélanger à la pâte de noisettes. Faire fondre au micro-ondes.

• Mélanger et faire bouillir la crème et le lait dans une casserole.

• Mélanger le sucre et les jaunes d'œufs.

• Les verser sur la crème et le lait bouillis.

• Remettre au feu en remuant avec un fouet jusqu'à 85 °C et verser en 3 fois tout en remuant sur le mélange fondu gianduja, chocolat et pâte de noisettes jusqu'à obtenir une ganache lisse et brillante.

• Mixer et stocker en boîte hermétique au réfrigérateur pendant 2 heures.

Préparation du glaçage au chocolat

• Faire fondre 180 g de chocolat noir à 40 °C et ajouter l'huile de pépins de raisin.

FINITION

• Déposer une cuillère de pâte à tartiner Nutella au centre de la tartelette ; ajouter les céréales, surgeler quelques minutes ; piquer le fond de la tartelette et la tremper rapidement dans le glaçage.

• Poser un anneau de bolduc sur votre tartelette et dresser une quenelle de crémeux. Pour finir, parsemer de bonbons M&M'S puis déguster à température ambiante… le chocolat sera meilleur encore.

ASTUCE

• Trempez votre cuillère dans l'eau bouillante puis réalisez vos quenelles que vous posez directement sur vos tartelettes. Vous pouvez également utiliser une cuillère à glace, mais ne remuez pas votre crème, elle risquerait de se liquéfier.

© C'est en 1946 qu'un
chocolatier italien du nom de Pietro Ferrero
crée une sorte de pâte à tartiner baptisée tout d'abord
« Supercréma » puis la « Tartinoise » avant de devenir enfin le « Nutella ».
Recette qui révolutionnera le goûter de millions d'enfants…
à commencer par moi.

Tartelette Sicilienne

RECETTE POUR 8 TARTELETTES

Préparation **35 mn**

Votre marché

400g (40cl) de crème
liquide (35% MG)
200g de mascarpone
80g de pâte de pistaches
40g de sucre semoule
150g de confiture
de fraises
250g de fraises
50g de pistaches

PAS À PAS

Préparation de la crème Chantilly pistache

• Mélanger la crème, le mascarpone, la pâte de pistaches et le sucre dans un récipient.

• Battre au fouet électrique pour obtenir une consistance ferme.

FINITION

• Tartiner le centre des tartelettes avec la confiture. Poser dessus les demi-fraises en rosace, puis dresser la crème Chantilly à l'aide d'une poche et d'une douille cannelée ; parsemer de quelques pistaches concassées.

ASTUCE pour la pâte de pistaches

• Pour réaliser votre pâte de pistaches, utilisez des pistaches décortiquées de Sicile puis broyez-les au robot-coupe jusqu'à l'obtention d'un mélange lisse. Stocker au réfrigérateur jusqu'à utilisation : le goût de cette pâte maison sera bien meilleur !

Petite graine de couleur verte à la saveur douce, la pistache tient une place importante dans toutes les pâtisseries méditerranéennes et orientales. Les pistaches de Sicile sont réputées avec raison pour leurs très grandes qualités gustatives.

Tartelette
Tiramisu

RECETTE POUR 8 TARTELETTES

Préparation **60 mn**

Votre marché

90g de mascarpone
70g de sucre semoule
2cl (20g) de lait
entier
1 feuille de gélatine
(soit 2g)
25cl (250g) de crème
liquide (35% MG)
1 tasse de café Espresso
200g d'amandes
hachées grillées
10g de café soluble
10g de cacao en poudre
150g de chocolat noir
(70% cacao)
10g de sucre glace

PAS À PAS

Préparation de la crème légère au mascarpone

• Faire bouillir le lait et ajouter la gélatine.

• Verser sur le mascarpone le sucre, remuer vivement à l'aide d'un fouet.

• Monter la crème bien ferme et mélanger.

FINITION

• A l'aide d'un pinceau, imbiber la tartelette généreusement avec l'Espresso. Dresser par-dessus la crème légère au mascarpone à l'aide d'une poche.

• Parsemer chaque tartelette avec des amandes grillées, saupoudrer avec le sucre glace, un peu de cacao en poudre et le café soluble.

• Planter 3 triangles de chocolat.

Réalisation de la couverture de chocolat noir pour les triangles

• Emincer finement le chocolat et le réserver dans un bac en plastique.

• Le chauffer au micro-ondes à puissance maximum pendant 10 secondes. Le sortir, puis le remuer énergiquement et le remettre au micro-ondes pendant 10 secondes. Renouveler cette opération jusqu'à ce que votre préparation atteigne 30/31 °C.

• Quand votre préparation est prête, étaler une fine couche de chocolat sur une feuille en plastique.

• Lorsque votre chocolat commence à figer, découper 24 triangles de 4 × 2 cm.

◎ D'origine
italienne, le Tiramisu
est un célèbre dessert
vénitien qui signifie «Relève-toi».
Il est composé à l'origine de biscuits
Pavesini arrosés de marsala et d'une crème
onctueuse au mascarpone.

Tartelette
Ice framboise

RECETTE POUR 8 TARTELETTES

Préparation **60 mn**
Repos **1 h**

Votre marché

70g de sucre semoule
4cl (40g) d'alcool
de Soho (saveur litchi)
8 feuilles de gélatine
(soit 16g)
100g de gelée à la rose
250g de framboises

PAS À PAS

Préparation de la gelée translucide au litchi

• Faire bouillir 385 g d'eau avec le sucre.

• Ajouter l'alcool puis la gélatine.

• Verser dans des moules à glaçons et stocker au congélateur minimum 1 heure.

FINITION

• Tartiner le centre des tartelettes avec un peu de gelée, puis poser les framboises sur chacune et un glaçon de litchi par-dessus.

ASTUCE

• L'alcool de Soho est à base de litchis, mais on peut le remplacer par un autre alcool de couleur neutre afin de donner au glaçon un aspect plus réaliste.

Le litchi, souvent appelé la petite cerise de Chine, développe à maturité un délicat parfum de rose.
Ma tartelette Ice framboise est une interprétation personnelle du gâteau Ispahan conçu par le talentueux Pierre Hermé. L'association rose, framboise et litchi est désormais devenue un classique.

Mes Macarons

Si les hommes viennent de Mars et les femmes de Vénus, de petites choses rondes et multicolores débarquent d'une planète incontournable en pâtisserie : l'astéroïde Macaron.

Pendant très longtemps, la valeur et la réputation d'une pâtisserie se jouaient sur la qualité de ces petits gâteaux. Produits *raffinés* et très techniques, ils furent déclinés à presque toutes les saveurs, même les plus insolites : à l'huile d'olive, au foie gras, en passant par le basilic, etc.

Mais revenons à leur valeur de base : le sucré. Lorsque je réalise mes macarons, il est important pour moi de leur insuffler quelque chose de spécial, *original*, inattendu, surprenant… bref, unique. La pâtisserie est un jeu subtil aux combinaisons infinies. Afin que ces petits délices, délicats en main et en bouche, soient les meilleurs. Pour ce voyage dans le cosmos gourmand, pas de masque à oxygène prévu, ni de gilet de sauvetage. Juste un plan de vol vers un *arc-en-ciel d'arômes*. Les commandes sont à vous. 5… 4… 3… 2… 1… poudre d'amandes, sucre, œufs… Mise à feu.

Préparation
Biscuit à macarons

RECETTES POUR 25 MACARONS GARNIS

 Préparation **30 mn** - Repos **20 mn** - Cuisson **8 mn**

- **250 g** de poudre d'amandes blanches
- **250 g** de sucre glace
- **6 œufs** moyens (200 g)
- **225 g** de sucre cristal
- **2 g** ou 1 pincée de sel fin

1 • Tamiser le mélange sucre glace et poudre d'amandes.

2 • Ajouter 100 g de blancs d'œufs (environ 3 œufs), et malaxer le tout à la main. Ajouter du colorant si besoin. Réserver votre mélange.

3 • Cuire le sucre avec 7,5 cl (75 g) d'eau à 118 °C.

4 • Monter 100 g de blancs d'œufs (environ 3 œufs) avec une pincée de sel, batteur en vitesse moyenne ; puis verser le sucre cuit lentement, pour obtenir une meringue italienne.

5 • Arrêter le batteur lorsque votre meringue est tiède, puis la verser en trois fois dans votre premier mélange.

6 • Bien rabattre la pâte du biscuit à la main, dans le sens des aiguilles d'une montre. Ce geste précis s'appelle macaroner.

7 • Votre pâte est prête lorsque le mélange est brillant et retombe en faisant un ruban.

8 • Verser la pâte dans une poche avec douille unie d'1 cm de diamètre, et dresser vos boules de macarons sur une plaque recouverte d'une feuille sulfurisée.

9 • Saupoudrer les macarons (éclats de dragées, poudre de coco, etc.). Les laisser sécher à température ambiante au minimum 20 mn avant de les cuire, vous obtiendrez ainsi des macarons lisses et brillants.

10 • Préchauffer votre four à 160 °C (th. 5) et cuire environ 8 mn.

11 • Laisser refroidir les coques de macarons, les retourner et les garnir généreusement selon les recettes suivantes.

Macaron
Mac fraise
bonbon-yoyo

RECETTE POUR 25 MACARONS

Préparation **30 mn**
Repos **12 h**

Votre marché

50cl (500g) de crème liquide
50g de fraises Tagada
1 feuille de gélatine (soit 2g)
200g de sucre semoule
Colorant rouge fraise

PAS À PAS

• **Préparation de la crème Chantilly fraise bonbon**

• Faire bouillir la crème dans une casserole.

• Ajouter les fraises Tagada et laisser fondre à petit feu.

• Ajouter la gélatine, mixer.

• Stocker en boîte hermétique au réfrigérateur pendant minimum 12 heures.

FINITION

• Utiliser un colorant rouge alimentaire dans la pâte à macarons pour obtenir un rose pastel.

• Lorsque vous dressez les macarons, parsemez-les de sucre semoule coloré rouge avant la cuisson à 160 °C (th. 5).

• Monter la crème froide au fouet jusqu'à l'obtention de la texture d'une crème Chantilly.

• Garnir chaque macaron avec la crème légère. Poser au centre une rondelle de fraise fraîche. Refermer avec la coque de macaron.

• Savourer frais

© La fraise Tagada, guimauve
aérée recouverte de sucre fin
coloré et aromatisé,
est un bonbon inventé
en 1969 par la société
Haribo. Elle reste
une des friandises
les plus vendues
au monde.
J'ai créé ce macaron
en 2000 en même temps
que les parfums Mac
Carambar et Nutella,
souvenirs très chers
de mon adolescence
boulimique…
A déguster très frais !

Macaron
Mac tarte citron meringuée

recette

RECETTE POUR 25 MACARONS

Préparation **40 mn**
Repos **2 h**

Votre marché

100g de préparation
de pâte à tarte cuite
et émiettée
3 œufs (150g)
130g de sucre semoule
5 citrons jaunes
2 feuilles de gélatine
(soit 4g)
150g de beurre doux

PAS À PAS

• Dans un bol en inox, verser les œufs entiers, le sucre, 15 cl (150 g) de jus de citron et les zestes de 3 citrons entiers.

• Pocher votre mélange dans une bassine au bain-marie à 85 °C et chinoiser pour enlever le surplus de zestes.

• Ajouter la gélatine.

• Laissez refroidir à 45 °C.

• Mixer longuement en ajoutant le beurre petit à petit pour obtenir une crème lisse et fondante.

• La réserver au réfrigérateur pendant minimum 2 heures.

• Ajouter et mélanger délicatement les éclats de pâte à tarte sucrée cuite.

• Garnir généreusement les macarons et déguster très frais.

ASTUCES

• Pour cette recette, ne faites pas retomber le biscuit à macarons : dressez-le à l'aide d'une douille cannelée (pour imiter la forme d'une tarte meringuée).

• Parsemez le macaron, avant cuisson, d'éclats de pâte à tarte sucrée cuite.

En faisant mes courses dans les rayons laitages d'une grande surface, j'ai découvert de nombreuses associations de yaourts (plutôt réussies), et j'ai eu l'idée d'assembler toutes les saveurs d'une délicieuse tarte citron meringuée au traditionnel macaron… effet frissons garanti !

Macaron
Mac coco

RECETTE POUR 25 MACARONS

Préparation **30 mn**
Repos **2 h**

Votre marché

250g de lait de coco
300g de chocolat au lait
25g de beurre demi-sel
125g de poudre
de coco grillée

PAS À PAS

**Préparation d'une ganache chocolat
au lait et coco**

• Faire bouillir le lait de coco dans une casserole.

• Verser en trois fois sur 200 g de chocolat
au lait.

• Remuer doucement avec un fouet jusqu'à
l'obtention d'une ganache lisse et brillante.

• Ajouter le beurre lorsque le mélange précédent
est à une température tiède d'environ 40-45 °C,
puis mixer.

• Ajouter 25 g de poudre de coco grillée.

• Stocker dans une boîte hermétique au
réfrigérateur pendant minimum 2 heures.

FINITION

• Faire fondre du chocolat au lait puis dresser à
l'aide d'un cornet des traits de chocolat sur
chaque macaron et saupoudrer de poudre de
coco grillée.

ASTUCE

• Mixez toujours vos ganaches pour obtenir une
texture plus lisse et fondante en bouche.

Ce petit clin d'œil vient
de mon enfance, car j'ai dévoré
des milliers de barres chocolatées
Bounty. J'adore cette subtile association
entre chocolat au lait et noix de coco,
que j'ai actualisée en macaron
de forme ovale. A déguster bien
frais…

Macaron
Mac pêche Melba

RECETTE POUR 25 MACARONS

Préparation **60 mn**
Repos **2 h**

Votre marché

5 pêches jaunes
150g de groseilles
20g de fécule
de pommes de terre
150g de chocolat blanc
1 feuille de gélatine
(soit 2g)
100g de beurre doux
2cl (20g) d'alcool
de pêche
1 gousse de vanille
de Tahiti
30g d'amandes hachées
et grillées
Colorants rouge
et violet
100g de sucre glace

PAS À PAS

Préparation du crémeux pêche Melba

• Centrifuger vos pêches et vos groseilles afin d'obtenir 150 g de jus pour chacun des fruits.

• Mélanger dans une casserole avec la fécule de pommes de terre, puis porter à ébullition.

• Verser votre préparation sur le chocolat et remuer à l'aide d'un fouet pour obtenir une ganache lisse et brillante.

• Ajouter la gélatine, l'alcool de pêche, la vanille.

• Lorsque le mélange est à 45 °C, verser le beurre petit à petit tout en mixant votre crémeux jusqu'à le rendre très homogène.

• Ajouter les amandes délicatement à la maryse.

• Stocker en boîte hermétique au réfrigérateur pendant minimum 2 heures.

• Garnir généreusement les macarons et déguster très frais.

ASTUCE peau de pêche

• Lorsque vous réalisez votre biscuit à macarons, colorez-le en jaune. Lorsque votre macaron est cuit et refroidi, à l'aide d'un pinceau et de colorant rouge, brossez chaque coque de macaron, puis ajoutez une petite touche de violet, saupoudrez de sucre glace. Attendez quelques minutes, puis brossez de nouveau avec un pinceau sec pour enlever l'excédent de poudre, vous obtiendrez alors une véritable imitation « peau de pêche ».

© En 1892,
Auguste Escoffier, chef
de cuisine de l'hôtel Savoy
à Londres, créa en hommage à la cantatrice
russe Nelly Melba, la fameuse «Pêche Melba»,
composée de pêches pochées, de coulis de
groseilles, de crème Chantilly et d'amandes
effilées caramélisées dites «Polignac».
C'est à travers ce grand classique que je dédie
à tous les gourmands ce macaron insolite.

Macaron
Mac cacahuètes

recette

RECETTE POUR 25 MACARONS

Préparation **60 mn**
Repos **60 mn**

Votre marché

250g de sucre semoule
30g de miel d'acacia
12,5cl (125g / 35% MG)
de crème liquide
200g de beurre
demi-sel
80g de pâte
de cacahuètes
1,2cl (12g) d'alcool
anisé
10cl (100g) de liqueur
de café
150g de cacahuètes
grillées et mixées

PAS À PAS

Préparation caramel beurre de cacahuètes

• Cuire le sucre à sec dans une casserole.

• Ajouter le miel puis cuire jusqu'à l'obtention d'un caramel légèrement foncé.

• Ajouter en trois fois la crème chaude, puis porter à 122 °C.

• Hors du feu, ajouter petit à petit les cubes de beurre tout en mixant intensément.

• Ajouter la pâte de cacahuètes, l'alcool anisé ; mixer de nouveau.

• Stocker en boîte hermétique au réfrigérateur pendant minimum 60 mn.

FINITION

• Lors de la préparation de votre biscuit à macarons, le colorer en caramel et le dresser en forme de bâtonnet.

• Lorsque les coques de macarons sont cuites et refroidies, à l'aide d'un pinceau brosser les bords des coques avec de la liqueur de café et saupoudrer de cacahuètes grillées.

• Garnir généreusement les macarons avec le caramel beurre de cacahuètes.

• Déguster bien frais !

ASTUCES

• Il est important de se munir d'un thermomètre professionnel pour éviter toute erreur.

• Prenez le temps d'ajouter et de mixer le beurre (comme une mayonnaise), car si vous l'incorporez en une seule fois le mélange sera huileux et perdra toute sa texture originale.

• Pour la pâte de cacahuètes, je vous conseille de l'acheter dans des magasins bio. Vous pouvez aussi la réaliser maison en grillant les arachides puis en passant le tout au robot-coupe. Vous obtiendrez une pâte semi-liquide sans sucre. Stockez-la à 4 °C.

• L'alcool anisé (Pastis, Ricard, etc.) enrobe parfaitement les arômes de la cacahuète… à l'heure de l'apéro, au bruit des cigales, ces délicieux macarons sont de parfaites mises en bouche.

Je dresse ces macarons
en forme de bâtonnets
en hommage aux barres
Snikers très chères
à mes souvenirs
d'enfant gourmand.

Mes *Sucettes*

La *guimauve* (ou marshmallow) est l'une de mes gourmandises favorites, j'adore sa texture molle qui fond dans la bouche avec délice. On peut l'enrober de chocolat, la déguster avec des fruits frais, la croquer glacée, ou encore la faire rôtir devant un feu de cheminée…! C'est le régal des enfants, que les grands dérobent aux petits comme une gourmandise interdite.

Malléable comme une pâte à modeler et caméléon, la guimauve est le meilleur *exutoire des goûts*, tout doux, fins, frais, sucrés.

Elle peut se parfumer avec des herbes fraîches, menthe, verveine…, des zestes d'agrumes, citron vert, jaune, orange…, s'associer avec de l'alcool, Grand Marnier, rhum…, tout, tout, tout, vous saurez tout sur la… guimauve !

C'est avec plaisir et malice que je me suis transformé en Christophe gourmand pour réinterpréter l'unique et inconditionnel marshmallow en forme de sucettes.

Préparation Guimauve

RECETTES POUR 25 SUCETTES

 Préparation **30 mn** - Repos **20 mn** - Cuisson **8 mn**

- **9 cl** d'eau (90 g)
- **40 g** de miel
- **250 g** de sucre semoule
- **7** feuilles de gélatine (soit 14 g)
- **3** blancs d'œufs (90 g)
- **150 g** de sucre glace
- **150 g** de fécule de pommes de terre

1 • Cuire le miel, le sucre et l'eau dans une casserole à 130 °C.

2 • Ajouter la gélatine préalablement trempée dans l'eau froide dans le sucre cuit.

3 • Verser le sucre cuit dans les blancs semi-montés. Fouetter avec un batteur électrique jusqu'à ce que le mélange devienne tiède (environ 45 °C).

4 • Parfumer la guimauve en suivant les recettes proposées dans les chapitres suivants.

5 • Verser la guimauve dans des moules en demi-sphère légèrement huilés.

6 • Ou verser dans des moules en forme d'oursons (ou autres).

7 • Laisser reposer minimum 1 heure et démouler les oursons.

8 • Démouler et assembler les demi-sphères (5).

9 • Si la guimauve a été moulée dans un bac rectangulaire ou carré, la couper avec un couteau ou avec un emporte-pièce chaud.

10 • Dans certaines recettes (comme les sucettes mentholées), creuser le centre avec une petite cuillère parisienne.

11 • Enrober vos guimauves avec un mélange égal de sucre glace et de fécule de pommes de terre tamisée.

Sucettes Oursons

RECETTE POUR 25 SUCETTES

Préparation **45 mn**
Repos **60 mn**

Votre marché

450g de pâte de guimauve
75g de chocolat
au lait fondu
300g de chocolat au lait
80g de beurre de cacao
2cl d'huile (20g)
25 bâtonnets en bois

PAS À PAS

• Mélanger le tout délicatement.

• Verser votre guimauve dans les moules
en forme d'ourson, laisser figer minimum
une heure.

• Démouler délicatement sur une feuille plastique
légèrement huilée.

• Piquer vos figurines avec un bâtonnet en bois,
surgeler environ 1 heure.

• Les tremper en une seule fois et très rapidement
dans votre glaçage chocolat tempéré à 40°C.

FINITION

• Tourner le bâton entre le pouce et l'index
(comme au Baby-foot) pour enlever l'excédent
de glaçage. Laisser reposer sur une feuille
plastique et stocker au réfrigérateur. Déguster
très frais.

ASTUCE

• Pour le socle, vous pouvez mélanger du sucre
semoule (ou cassonade) avec un peu de vinaigre.
Malaxez correctement et lorsque le sucre prend
l'empreinte de votre main, sculptez une forme
originale selon votre inspiration (même principe
que pour la réalisation d'un château de sable).

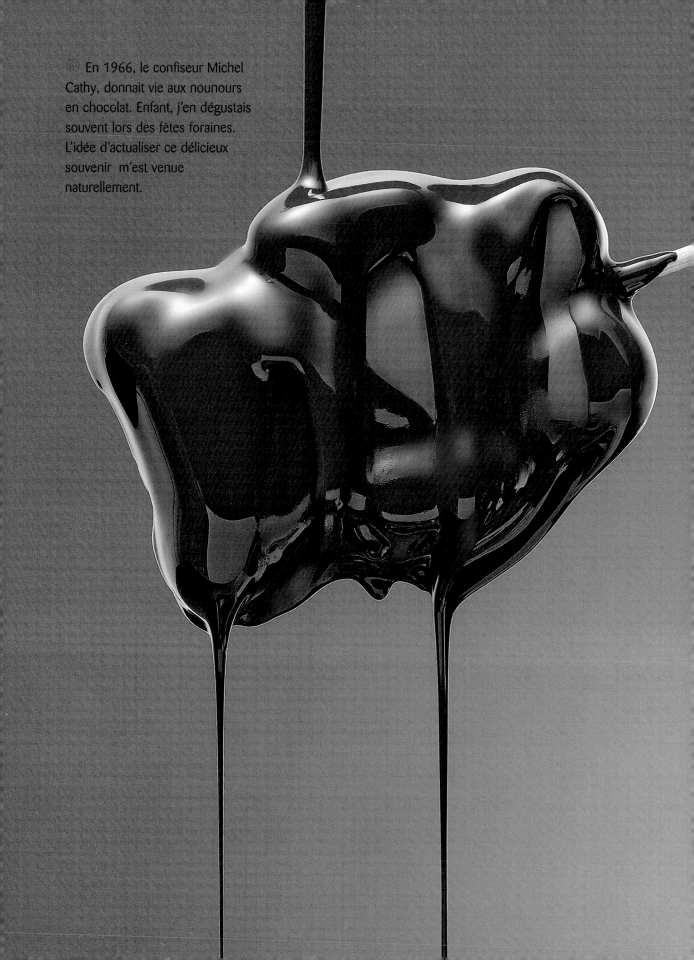

En 1966, le confiseur Michel Cathy, donnait vie aux nounours en chocolat. Enfant, j'en dégustais souvent lors des fêtes foraines. L'idée d'actualiser ce délicieux souvenir m'est venue naturellement.

Sucettes
Explosives
au cassis

recette

RECETTE POUR 25 SUCETTES

Préparation **30 mn**
Repos **60 mn**

Votre marché

50g de préparation
de guimauve
100g de purée de cassis
3cl (30g) d'alcool
de cassis
5 gouttes de colorant violet
25 bâtonnets en bois
50g de pâte d'amandes
100g de sucre coloré violet
100g de bonbons
Peta Zeta

PAS À PAS

• Mélanger la guimauve avec la purée, l'alcool et le colorant.

• Couler votre mélange dans des moules de 2,5 cm de diamètre en demi-sphère, légèrement huilés.

• Réserver 1 heure à température ambiante.

• Démouler votre guimauve et les assembler pour obtenir une boule.

• Les piquer avec un bâtonnet en bois et les saupoudrer avec un mélange de sucre violet et bonbons Peta Zeta.

• Dresser une petite mèche en pâte d'amandes sur chaque sucette pour qu'elle soit prête à exploser dans votre palais.

ASTUCE

• Ce sont les bonbons Peta Zeta qui, au contact de l'humidité du palais, se mettent à pétiller et crépiter, vous donnent une sensation de fraîcheur explosive en bouche.

126

C'est le botaniste
Gaspar Bauhin, à l'aube
du XVIIIᵉ siècle, qui développa
la culture du cassis, fort
en vitamine C.

Sucettes
Citron vert
flambées au rhum

recette

Préparation **30 mn**
Repos **60 mn**

Votre marché

*450g de préparation
de guimauve
22cl (220g) de rhum
blanc
2 citrons verts
25 bâtonnets en bois*

PAS À PAS

• Mélanger la guimauve tiède avec 2 cl (20 g) de rhum, ainsi que les zestes et le jus des citrons.

• Couler la guimauve dans un moule en plastique légèrement huilé. Réserver à température ambiante environ 1 heure.

FINITION

• Plonger une cuillère à café chaude dans votre préparation et former des boules irrégulières.

• Les piquer avec les bâtonnets en bois et les stocker au réfrigérateur environ 15 mn.

• Avant dégustation, chauffer légèrement 20 cl (200 gr) de rhum dans une casserole à 45 °C, puis flamber les sucettes devant vos invités.

• Quand les flammes lèchent les bords de cette succulente guimauve l'effet est spectaculaire et très gourmand. La sucette caramélise immédiatement. Et vous la dégusterez froide à l'intérieur, chaude à l'extérieur !

ASTUCE

• Prenez bien le temps de chauffer votre cuillère dans l'eau bouillante pour que la guimauve se détache parfaitement du moule et pour obtenir les formes que vous souhaitez selon le même principe que les boules de glace.

128

Cette guimauve délicieusement parfumée a été conçue lors d'un voyage sur l'île de Madagascar, où, entre deux visites d'une plantation de cacao, on me fit découvrir ce subtil cocktail qu'est la Caipirinha…

Sucettes Fraise à la rose

recette

RECETTE POUR 25 SUCETTES

Préparation **30 mn**
Repos **60 mn**

Votre marché

450g de préparation
de guimauve
5 gouttes d'essence de rose
5 gouttes de colorant rouge
250g de fraises fraîches
1 rose rouge
1 rose jaune
25 bâtonnets en bois

PAS À PAS

• Mélanger la guimauve tiède avec l'essence de rose et le colorant rouge.

• Faire refroidir au fouet électrique la guimauve à 35 °C.

• Dresser le mélange dans une poche munie d'une douille cannelée.

• Equeutter les fraises et dresser une rosace avec votre guimauve parfumée sur la pointe de chaque fraise.

• Emincer finement les pétales des roses et les parsemer délicatement sur le dessus des fraises. Réserver 60 mn au réfrigérateur.

• Planter vos fraises sur vos bâtonnets au moment de déguster.

ASTUCE

• Pour impressionner vos amis et ravir vos enfants, je vous suggère de réserver les fraises au réfrigérateur et de dresser la guimauve encore tiède au moment de les déguster… sensations fortes garanties au contact du chaud et du froid !

L'association fraise et
rose, qui se marie très bien,
est une jolie formule à adresser
à l'élu(e) de votre cœur.

Sucettes Mentholées

RECETTE POUR 25 SUCETTES

Préparation **60 mn**
Repos **60 mn**

Votre marché

10 gouttes d'essence
de menthe
glaciale ou alcool
de Ricqlès menthe
5 gouttes de colorant
vert
25 feuilles de menthe
150g sucre glace
150g de fécule
de pommes de terre
15cl (150g) de crème
liquide (30% MG)
150g de chocolat noir
amer
25 bâtonnets en bois

PAS À PAS

• Mélanger à la préparation de guimauve tiède l'essence de menthe et le colorant.

• La couler dans un moule sur une épaisseur de 3 cm. Laisser reposer 60 mn.

• A l'aide d'un couteau chaud, découper votre guimauve mentholée en carrés de 3 cm de côté.

• Réaliser un trou au centre de chaque guimauve.

• Enrober les cubes de guimauve dans un mélange de sucre et fécule.

• Réaliser une ganache en faisant bouillir votre crème et en la versant sur votre chocolat émincé.

• Mixer.

• Verser la ganache dans le trou des guimauves et réserver 10 mn au réfrigérateur.

FINITION

• Piquer chaque bâtonnet avec une feuille de menthe puis un cube de guimauve mentholée et déguster sans attendre.

ASTUCE

• Utiliser une cuillère parisienne pour creuser des boules au centre de la guimauve. Prenez soin de la laver et de la chauffer avant chaque manipulation.

Voici une interprétation du fameux **After Eight**, inspiré par mon ami Vincent Bourdin, pâtissier poète installé à Singapour.

Mes bonnes adresses

MON MATÉRIEL DE CUISINE

Dehillerin
18, rue Coquillière - 75001 Paris
T : 01 42 36 53 13
F : 01 42 36 54 80
www.e-dehillerin.fr

MON MARCHÉ GOURMAND

Le Bon Marché
Une grande épicerie fine
24, rue de Sèvres - 75007 Paris
T : 01 44 39 81 00

Izrael
La boutique d'Ali Baba des épices
et des saveurs du monde entier
30, rue François-Miron - 75004 Paris
T : 01 42 72 66 23
F : 01 42 72 86 32

MES PRODUITS PRÉFÉRÉS

Chocolats Valrhona
www.valrhona.com
Marrons Imbert
www.marrons-imbert.com
Purées de fruits Ravifruit
www.ravifruit.com
Tout pour le décor de vos pâtisseries
www.pcb-creation.fr

MES MEILLEURS PÂTISSIERS

Pain de sucre
14, rue Rambuteau - 75003 Paris
Des gâteaux et du pain
63, boulevard Pasteur - 75015 Paris
Sébastien Bouillet
15, place de la Croix-Rousse
69004 Lyon
Laurent Le Daniel
13, galerie du Théâtre - 35000 Rennes
Franck Fresson
17, rue du Grand-Cerf - 57000 Metz

MES DESSERTS
DE RESTAURANTS FAVORIS

L'Oréade de Philippe Rigollot
Maison Pic, 285, avenue Victor-Hugo
26000 Valence
**La Poire Belle-Hélène d'Eddie
Benghanem**
Hôtel Ritz, 15, place Vendôme
75001 Paris
**Le vacherin contemporain de Jérôme
Chaucesse**
Hôtel Crillon, 10, place de la Concorde
75008 Paris

Le saint-honoré caramel de Arnaud Larher
53, rue Caulaincourt - 75018 Paris

La menthe religieuse Au Blé sucré
Square Trousseau - 75011 Paris

Le croquant aux agrumes de Dalloyau
101, rue du faubourg Saint-Honoré - 75008 Paris

La galette de Stéphane Vandermeersch
278, avenue Daumesnil - 75012 Paris

Le pain au chocolat de Lenôtre
15, boulevard de Courcelles - 75008 Paris

Le macaron à la fleur d'oranger de Ladurée
75, avenue des Champs-Elysées - 75008 Paris

La papillote de chez Fauchon
27, place de la Madeleine - 75008 Paris

La ganache au citron vert de Patrick Roger
108, boulevard Saint-Germain - 75006 Paris

La tarte au café de Pierre Hermé
72, rue Bonaparte - 75006 Paris

Le flan Aux enfants gâtés
7, rue Cardinet - 75017 Paris

La pâte à tartiner pralinée en tube du Délicabar
au 1er étage du Bon Marché, 24, rue de Sèvres - 75007 Paris

La bouchée Jolika de La maison du chocolat
225, rue du faubourg Saint-Honoré - 75008 Paris

La sucette chocolat lait-caramel de Jean-Paul Hévin
231, rue Saint-Honoré - 75001 Paris

La tarte aux fraises glacées de Alain Chartier
7, rue Pierre-Josso - 56450 Theix

Les bonbons au praliné fumé de Michel Belin
4, rue docteur Camboulives - 81000 Albi

La bouchée chocolat pêche de vigne au Parrain généreux
21, rue du Bourg - 21000 Dijon

Remerciements

ON NE DIT JAMAIS ASSEZ MERCI. AUSSI JE TIENS TRÈS SINCÈREMENT À SALUER TOUTES LES PERSONNES QUI ONT CONTRIBUÉ AU SUCCÈS ET À L'ABOUTISSEMENT DE CE LIVRE

Frédérique Drouin, mon éditeur, pour son perfectionnisme et son savoir-faire, une vraie meneuse d'hommes !

Audrey Charissoux pour son formidable travail de graphiste et son écoute très pro.

Enrico Bernardo le déclencheur du livre, merci champion, pour l'homme que tu es.

Laurent Fau l'as des as des photographes, je n'aurais pas fait ce livre sans lui… Magic Laurent !

François Delahaye directeur de l'hôtel Plaza Athénée, l'homme qui m'a appris le vrai sens du management et que je remercie infiniment pour m'avoir permis de réaliser cet ouvrage au sein de l'hôtel Plaza Athénée.

Pierre Hermé sage parmi les sages, merci Pierre pour m'avoir ouvert la porte.

Frédéric Bau pour moi, le meilleur pâtissier de sa génération, un modèle pour nous tous… avec un sacré bagout.

Jean-François Piège, tout le talent du monde dans un seul homme. Merci pour tous tes précieux conseils, mon ami.

Tous, mais absolument tous mes amis et fantastiques professionnels, que j'ai côtoyés durant ma carrière, que j'admire pour leur talent et leur personnalité, et qui me poussent à me surpasser chaque jour, merci à vous tous mes très chers amis pour avoir pu m'aider à dévoiler notre si beau métier.

A Keren Benoliel-Mitz qui a suivi de très près l'élaboration de cet ouvrage.

Ma Maman qui a toujours cru en moi et à laquelle je dois tout… ne pleure pas tout de suite, s'il te plaît… !

Toute ma famille de souche italienne qui se reconnaîtra pour m'avoir inculqué les vraies valeurs de la vie.

Toute mon équipe sans qui je ne serais rien, merci les futurs champions : Nicolas, Jean-Marie, Vincent, Lucien, Desty, Jérôme, Philippe, Laurent, Maxime, Victorien, Jean-Sébastien, Fabien, Luc, Carlos, Jean-Michel, Manuel, Damien, Toshi, Jean-Pierre, Stéphane et sans oublier Scarlett et Pénélope.

Et enfin toute la maison Plon pour m'avoir soutenu avec son savoir-faire et son accompagnement constant.

137

Ces pages vous appartiennent

REMARQUES, IMPRESSIONS, COUPS DE CŒUR,

RECETTES PRÉFÉRÉES…

Suivi éditorial : Grégory Berthier-Gabrièle

Achevé d'imprimer : septembre 2007

Dépôt légal : septembre 2007 – N° d'édition : 14215

Imprimé en France.